動画付

楽しい

トランプ
改訂版

ルールと勝ち方が1冊でわかる

JN215548

動画付 楽しいトランプ 改訂版

ルールと勝ち方が1冊でわかる

もくじ

♠ トランプゲームの基礎知識

- ● トランプの種類 ……………………… 6
- ● 親の決め方 …………………………… 8
- ▶● カードの配り方 パターン①②③ …… 8
- ● シャッフルの仕方 …………………… 10
- ● カットの仕方 ………………………… 12
- ● トランプの基礎用語 ………………… 13

♠ 家族で楽しめるトランプゲーム

- ● **ババ抜き**
  - ・ルール ……………… 16
  - ・必勝法 ……………… 18
- ● **七並べ**
  - ・ルール ……………… 20
  - ・必勝法 ……………… 22

▶◉ **ページワン**
・ルール ……………… 26 ・必勝法 ……………… 28

◉ **ダウト**
・ルール ……………… 32 ・必勝法 ……………… 34

◉ **神経衰弱**
・ルール ……………… 36 ・必勝法 ……………… 38

▶◉ **51**
・ルール ……………… 40 ・必勝法 ……………… 44

◉ **銀行**
・ルール ……………… 46 ・必勝法 ……………… 50

▶◉ **うすのろ**
・ルール ……………… 52 ・必勝法 ……………… 54

■ **トランプの歴史** ……………………… 56

♠ **グループで楽しめるトランプゲーム**

▶◉ **大貧民**
・ルール ……………… 58 ・必勝法 ……………… 64

▶◉ **ブラックジャック**
・ルール ……………… 68 ・必勝法 ……………… 74

▶◉ **ドボン**
・ルール ……………… 76 ・必勝法 ……………… 80

■ **ひとりで楽しめる トランプゲーム** ………… 84

▶……動画収録ページ
※この本で紹介するゲームの名前やルールは一例です。
またプレイ人数もあくまで目安となっています。

3

2人で楽しめるトランプゲーム

▶︎● スピード
・ルール …………… 86　・必勝法 …………… 90

▶︎● ニックネーム
・ルール …………… 94　・必勝法 …………… 96

▶︎● 戦争
・ルール …………… 98　・必勝法 …………… 100

■ トランプ占いにチャレンジ！ …………… 102

3大トランプゲーム

● セブンブリッジ
・ルール …………… 104　・必勝法 …………… 110

● ラミー
・ルール …………… 114　・必勝法 …………… 116

● ポーカー
・ルール …………… 118　・必勝法 …………… 126

二次元コードがあるページは、スマートフォンやタブレット端末のバーコードリーダー機能で読み取って動画を見ることができます。

連続再生用の URL は巻末ページでご紹介しています。

※本書は2018年6月発行の『もっと知りたい！楽しいトランプ ルール＋勝ち方がわかる』を確認のうえ加筆・修正したほか、オンライン視聴できる動画コンテンツを追加し、書名・装丁を変更して発行しています。

4

ゲームをはじめる前に知っておこう！

トランプゲームの基礎知識

トランプの種類

トランプのゲームをはじめる前にまずおぼえなくてはならないのが、カードに描かれている数字、マーク、絵柄の意味。これを理解しないと、ゲームを楽しむことができません。

マークの種類、呼び名、枚数について

マークの種類

絵札と数札

トランプカードは、ハート、ダイヤ、スペード、クラブの4種類のマークがあり、ハートとダイヤは赤、スペードとクラブは黒で印刷されています。

それぞれのマークには、1(A)から13(K)までの数字があり、1(A)から10までを「数札」、11(J)、12(Q)、13(K)を「絵札」と呼びます。ゲームによっては、1(A)や10を絵札としてあつかう場合もあります。

トランプの枚数は、4種類のマークが各13枚ずつあるのでトータルで52枚、さらにジョーカーが加わって合計で53枚です。

トランプカードの選び方

トランプカードはゲームによって使うサイズが異なります。幅の広い「ポーカーサイズ」と幅のせまい「ブリッジタイプ」、一人遊び用の「ソリテアサイズ」の3種類があります。大半のトランプゲームは、たくさんの枚数を持てるサイズの「ブリッジタイプ」でOKです。

カードの種類

ポーカーサイズ
約縦89×横63mm

ブリッジサイズ
約縦89×横58mm

ソリテアサイズ
約縦63×横43mm

カードの名称について

カードの表と裏

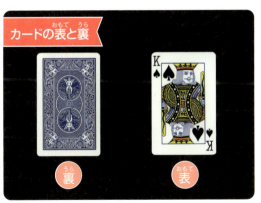

裏　　表

カードの数字やマークのある面を「表」、模様になっている面を「裏」と呼びます。また、カードの四隅を「コーナー」、カードのたては「サイド」、よこは「エンド」です。

マークの強さ

弱　　　　　　→　　　　　　強

親の決め方

カードを配る人のことを親（ディーラー）といいます。ゲームをはじめる前に親を決めます。親の決め方はじゃんけんでもいいのですが、もっと本格的に楽しみたいなら、カードドローという方法でゲームをスタートさせましょう！

■ カードドローのやり方

1 ジョーカーを抜いたカードをシャッフル（シャッフルの仕方はP10を参考）して、テーブルに伏せたまま帯状に広げます。これをリボンスプレッドといいます。

2 リボン状になったカードの列からプレイヤーは好きなカードを引いて表を見せます。一番強いカードを持っていた人が親。同じ数字の場合、スペード→ハート→ダイヤ→クラブの順で順番を決めます。

カードの配り方

Check!

カードを配るのは親の役割です。親が決まったら、まずカードをよくシャッフルした後に以下のようにカードを配ります。

パターン① すべてのカードを人数分に分ける

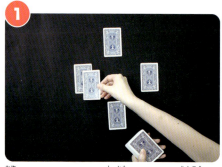

1 親はカット（カットの仕方はP12を参考）したカードを、一番上から1枚ずつ裏にして向かって左どなりから時計回りに配ります。

2 カードは上に重ねて置いていきます。配る枚数が決まっている場合、親は枚数が間違っていないか確認します。

パターン② 「積み札」を置く

決まった枚数を配り、残りのカードは「積み札」として裏向きのまま置きます。

パターン③ 「台札」を置く

パターン②のあと、親の手札または「積み札」から1枚を表向きに出し、「台札」とします。

チェックポイント

親がカードを配っている間、ほかのプレイヤーがカードにさわったり、カードがめくれて表が見えてしまったときは、もう一度シャッフルをやり直します。

シャッフルの仕方

ゲームをはじめる前にトランプをよ〜くまぜることを"シャッフル"といいます。カードをシャッフルすると、順番やマークがバラバラになって、ゲームがよりおもしろくなるよ。ここでは基本と応用の2パターンを紹介。みんなにカッコイイところを見せちゃおう!

基本編

ヒンズーシャッフル

「ヒンズーシャッフル」は、一度にたくさんのカードを重ねていくので、細かくなんどもシャッフルすることが大切です。

①
左手でトランプを支え、右手の親指、人さし指、中指で上の2〜3枚を残し、カードをひき抜きます。

②
何度もシャッフルができるように、トランプの下の束は残しておこう!

③
カードを支えている左手の指をゆるめ、上の2〜3枚のカードを下のカードに重ねます。

④
引き抜いたカードを左手の束の一番上にのせます。

⑤
この動作を何度もくり返して、カードがよく混ざるようにします。

チェックポイント

練習をすれば、だれでもできちゃうかんたんシャッフル!最初はゆっくり練習して、だんだんスピードをつけていくとうまくできます。

応用編

リフルシャッフル

両手でトランプをパラパラとはじいてシャッフルするのが「リフルシャッフル」。手と指の力の入れぐあいがちょっぴりむずかしいので気をつけて！

トランプを半分にわけて、右手と左手で一束ずつ持ちます。

両手に持ったトランプをテーブルの上で"トントン"と叩き、カードを整えます。

親指でトランプの上、人さし指で真ん中、残りの中指、薬指、小指で下を持ち、カードをそらします。

カードをそらせながら、親指を少しずつゆるめていき、1枚ずつパラパラと落ちるようにします。

そのまま、カードは左右が均等に1枚ずつ重なるように落としていきます。

きれいに重なったら、左右の親指でカードの重なった部分を押さえ残りの人さし指、中指、薬指、小指でカードの下部分を持ちます。

すべての指でカードを固定し、弧を描くように内側にそらせます。このとき、指の力を少しずつぬいていきます。

すると、カードが自然にパラパラと落ちていきます。

最後の一枚が落ちるまで続けていきます。最後に重なったカードをきれいに整えて完成！

チェックポイント

シャッフルするときにカードがなかなか落ちない場合はカードと手のひらに少しだけすきまをあけるのがコツです。

カットの仕方

親はシャッフルが終わったらカットしましょう。ズルをしていないということを、ほかのプレイヤーにしめすためにも必要なことです。

右どなりの人はカットする代わりにカードの上をトンとたたいてもOKです。

① 親はカードをシャッフルした後、裏のままひと山にして、右どなりにさし出すように置きます。

② 右どなりのプレイヤーは、そのカードのひと山の中ほどから半分にわけ、親側にさし出します。

③ 親は残った半分を自分の方にひくようにして親側にさし出したカードに重ねます。

④ 重ねたら親は以後カードに何もせず、カードを配ります。

トランプの基礎用語

この本の中でよく出てくる用語なので、チェックしてから読み進めてください。

場(テーブル)
手札を出したりする遊ぶ場所のこと。

札(カード)
トランプのこと。

手札(ハンド)
1人1人のプレイヤーに配られるカードのこと。または、手持ちのカード。

積み札(山札)
手札を配った後の残りを、伏せたままひと山にしたカードの集まりのこと。

親(ディーラー)
カードを配る人のこと。ゲームによっては特別な役割を果たすこともあります。

子(プレイヤー)
親以外のプレイヤーのこと。

すて札
場にすてたカードのこと。ゲームによっては積み札がなくなったあとにすて札を積み札にすることがあります。

トランプの基礎用語

場札
積み札でもすて札でもなくテーブル上でプレイに使うカードのこと。

切り札（トランプ）
そのゲームにとって、特別な意味を持つカードのこと。

パス
自分の順番が回ってきても決められたことをしないで次の人にゆずること。

メルド
手札の中で役ができて自分の前に表向きにして公開したカードのこと。

シークエンス
ハートの3、4、5やスペードの10、J、Qのように同じマークで数字がならんだカードの組み合わせ。

あがる
そのゲームに勝って終わること。

付け札
自分やほかのプレイヤーのメルドに付け足したカードのこと。

リード
ゲームを開始して最初の順番のプレイヤーが手札からカードを出すこと。

チップ
お金のかわりにつかい、ゲームの得点移動をわかりやすくするための道具。

家族で楽しめる
トランプゲーム

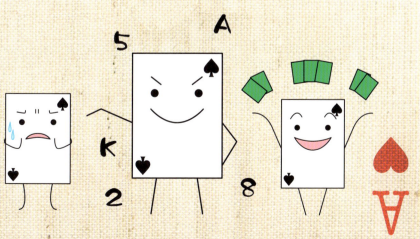

トランプの定番といえばコレ！
ババぬき

ゲームのすすめ方

カードの配り方　パターン①

親はすべてのカードを1枚ずつ裏向きにして、時計回りに配ります。

プレイヤーは手札をチェックします。同じ数字が2種類以上あったら2枚1組でカードを表向きにして、場にすてます。

ゲーム・スタート

1

同じ数字のカードをすべてすてたら、カードをおうぎ形に広げて持ちます。親の手札を左どなりの人が1枚ひいて自分の手札に加え、同じ数字がないかをチェックします。カードをひくとき、ほかの人に見られないように注意！

カードを1枚ひいて、同じ数字だったら2枚1組にしてすてていき、手札がはやくなくなった人が勝ち!最後にババ(ジョーカー)を持っていた人が負け!カンタンなルールだけど、「ババをひくかもしれない」というドキドキ感がたまらない、トランプゲームの定番です。

人数	使用カード	勝敗のルール	♥
3人以上	すべてのカード52枚＋ジョーカー1枚	最後までババ(ジョーカー)を持ち続けたプレイヤーが負け。	

2 同じ数字があれば、**1**と同様に2枚1組にしてすて、なければそのままにしておきます。

クラブの4がきたから
スペードの4といっしょにすてよう!

3 左どなりの人に自分の手札をひいてもらい、**1**と**2**をくりかえします。

ババ(ジョーカー)が
きませんように!!

4 だんだんと手札が少なくなり、すべてのカードをすてることができたらあがり!最後にババ(ジョーカー)を持った人が負けです。

しまった!
ババが残ったから負けダ〜

[ババぬき]編

Mr.トランプ 直伝 必勝法

相手の考えを読み、こちらの考えを読ませない演技力が必要

ババぬきが弱い人の特徴は、ババをひいたときなどその表情で周りの人に気づかれやすいこと。どんなときもクールな表情が大切です。逆にほかのプレイヤーの表情やちょっとした態度からババを持っているのかを判断するなど、心理的なテクニックをみがきましょう。

ポーカーフェイスでプレイ

ポーカーフェイスとは何を考えているのかわからないようにすました表情のことです。考えを人に読まれないようにすれば、ほかのプレイヤーはどのカードを取ればいいのかわからなくなります。大切なのはババが来たときだけポーカーフェイスになるのではなく、プレイ中は常にポーカーフェイスでいられるようにかがみで自分の顔を見て練習しましょう。

相手の表情を見てババを持っているかを見抜く

相手がババをひいたり、ババを渡したりしたときはどこか表情に変化があるはずです。あせったり、いきなり無表情になったらババをひいた可能性大。ババをひかれた側のプレイヤーがニヤりとなったらババが手札からなくなったからかもしれません。

自分がカードをひくときはそれに加えて相手の目を見よう。視線がちょっと動いていたりしたらババを持っている可能性があるので要注意だ。どれかのカードを持ったときに相手がニヤりとしたら、それはババかも?!ついつい表情が変わってしまうぞ。

カードの動きに注目しよう

1枚だけカードが不自然に上だったりするとそれがババの可能性があります。でも、それはウソの可能性も。相手の心理を考えてひくかどうかを考えよう。もちろん自分もその戦法を使って相手をまどわしましょう。

手で持たない

自分がババを持っているときに相手のひく番になったら写真のようにテーブルの上、または床の上に置いて目をつぶってシャッフルしたあと、ならべましょう。そうすれば自分にもどれがババだかわからなくなります。相手の方が強いなと思ったら運に任せてしまうのもりっぱな戦略です。

頭脳をつかう、いじわるなゲーム
七並べ（しちならべ）

ゲームのすすめ方

カードの配り方　パターン①

じゃんけんで親を決め、親はカードを裏向きにして左どなりから時計回りにすべてのカードを配ります。

配り終わったら各プレイヤーは、手札の中から7を出して場に置きます。

◀ ゲーム・スタート ▶

親の左どなりの人から時計回りにカードを一枚ずつ出します。最初に置けるカードは6または8のカードです。

まずはハートの8

20

こんなゲームだ！

7のカードを中心に同じマークの数字のカードを置いて列をつくっていくゲーム。プレイヤー全員が1枚ずつカードを出して手札がなくなれば勝ち。カードが置けないときにつかえるパスは、4回つかうと負けになってしまうのでパスのつかい方が勝負を決めるカギです。

人数	使用カード	勝敗のルール	♥
3～8人	すべてのカード52枚 （ジョーカーを入れる場合は54枚）	手札を早くなくした人が勝ち。置けるカードがなくなってリタイアしたときは最下位。	

2

「出せるカードがないなあ…」

「パス」

次の人も同じようにならんでいるカードの次の数字(6なら5、8なら9)を出していきます。手札にない場合はパスできます

💡 **チェックポイント**
パスは3回までしかつかえません。また手札にあってもパスすることができます。

3

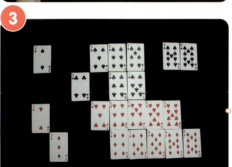

4回パスして失格になったら手札を場に置きます。

「まいったな。ぜんぜん出せなかった…」

4

順番にカードを出していって手元のカードがなくなった人が勝ちです。

あがり!!

💡 **チェックポイント**
1位の人が次の親になります。

[七並べ]編 その1

Mr.トランプ直伝 必勝法

どの数字を止めるのかを考えて決めよう

七並べは、手札から場に出せるカードで何も考えずに出し続けて出せなくなったらパスするというやり方では勝てません。カードを出さないで勝つ作戦を考えた人が勝ちなのです。

6と8の数字はなるべく出さない！

7の次に出せる数字は6と8。つまりこのカードを出さない限りほかのプレイヤーはそのマークのカードを出せないのでパスをするか、ほかのカードを出さないとならなくなります。

一番遠い数字のあるマークのカードは積極的に出す

順番の最後に当たるAとKやその次の2やQは出せるまで時間がかかるので、止めないでどんどんカードを出していきましょう。

スペードは6以下の数字がないから止めても大丈夫だな

出せないのと出さないのは大きな違いだ。マークを並べて自分が止めてもあまり困らないマークを止めよう！

これでもっと白熱するおもしろルール1

ジョーカーありのルール！

ジョーカーを持っているプレイヤーはほかのカードの代わりにジョーカーを出すことができます。写真の場合、ハートの5の代わりにジョーカーを置き、ハートの5を持っているプレイヤーはハートの5を置かなければなりません。

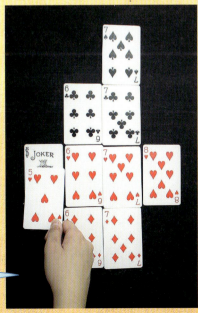

せっかく止めていたのに

[七並べ] 編
その2

Mr.トランプ直伝 必勝法

パスはかけひきでつかうのが、当たり前!

出せるカードがなくてつかう「パス」は負けへのカウントダウン。出せるカードがあるけど、ライバルとのかけひきのためにつかう攻めの「パス」で相手のパスをひき出すのが、このゲームの必勝法です。

1回目からパスでもOK!

七並べのパスのつかい方は自由。最初に自分の順番が回ったときにパスしてもかまいません。ほかのプレイヤーから「なんで〜」とか「1回目からパスなんておかしいよ」などといわれても気にしないでプレイしましょう。自分だけがパスすることで、ほかのプレイヤーがカードを場に出すことになり、どのマークの数字が伸びそうか見やすくなります。

あと何回までガマンできるか計算しよう

ひとり3回までつかえるパス。でもみんなが相手のパスを待つためにパスをつかうと、そのあと何回まで出せるのかが重要なカギになります。このとき「5・4・3」や「8・9・10」など連続した数のカードを持っていれば、2回は相手の動きを気にすることなく行動することができるので、相手の失格を待つためにも連続した数字のカードは最後まで取っておきましょう。

スペード8とスペード9は出してもスペードの10を持っているから他プレイヤーの有利にはならないぞ！

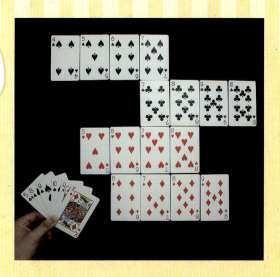

これでもっともりあがる！おもしろルール2

AとKがつながった

7からKがつながっているとき、Aを出せるようになります。Aの後に2を置くことも可能です。置ける順番がプレイ中に変わるので逆転する可能性が高くなり、よりエキサイティングなプレイが楽しめます。

シンプルなおもしろさが光る

ペー ジ・ワン

ゲームのすすめ方

カードの配り方　パターン③

親はカードを裏向きにして左どなりから時計回りにカードを配り、各プレイヤーの手札が4枚になるようにします。残りのカードは裏向きのまま置き、積み札とします。

ゲーム・スタート

1 親は手札の中から1枚表向きに出します。これが台札となります。

2 親に続き、プレイヤーA、B、Cが同じマークのカード（ここではスペード）を手札から出し、強いカードを出した人が次の台札を出せます。

> プレイヤーB
> やった〜!!Jだから次の台札はボクだ!

 チェックポイント

手札に台札と同じマークがない場合、積み札から同じマークが出るまでひきます。ひいたカードはすべて手札となります。
※ゲームの途中で積み札がなくなったらすて札をシャッフルして積み札とします。

プレイヤーが場に出ているカードと同じマークのカードを順番に出していき、はやく手札をなくした人が勝ちとなります。カードが残り1枚になるとき、つまり最後から2番目のカードを出すときに「ページ・ワン」と宣言します。これで「次はあがりますよ」ということを知らせます。

人数	使用カード	勝敗のルール	♥
3～7人	すべてのカード52枚＋ジョーカー1枚	ジョーカー→A→K→Q…3→2の順。はやく手札をなくした人が勝ち	

チェックポイント
ジョーカーはどのマークにもつかえます。ただし「ページワン」といったあとの最後の1枚はジョーカーであがることができません。

スペードはないけれどジョーカーがあるから次は台札を出せるぞ

❶と❷をくり返して手札が2枚になり、自分の順番がきて残りの手札が1枚になったとき「ページワン」といいながらカードを出します。

チェックポイント
「ページワン」をいい忘れると、ペナルティとして場札のカードをすべてひき取ることになるので注意しよう。

ほかのプレイヤーは、「ページワン」宣言したカードよりも強いカードを出してあがらせないようにします。

ハートのAを出して「あがり」を阻止するぞ!!

すべての手札がはやくなくなったプレイヤーが勝ちです。

[ページ・ワン] 編
その1

Mr.トランプ直伝 必勝法

> 「ページ・ワン」宣言のカードの強さがきめて!

ページ・ワンの必勝法は、「ページ・ワン」を宣言するときのカードの強さにかかっています。ジョーカーで「ページ・ワン」を宣言できれば、そのときに勝利が決まります。次がA、K、という順番になります。

例えば、こんな手札がきたら、その時点で勝利が決定!!

これが輝くほどの
最強カード

OH!

この手札こそが「ページ・ワン」の本質をついているのだ!

親なら、この4枚を順序よく出せば勝利が決定します。Aはハートでもクラブでも、どちらを最初に出しても台札の権利がとれます。ポイントはジョーカーで「ページ・ワン」宣言すること。これより強いカードはないので、台札の権利は自分となり、最後にハートの2を出してあがりです。
※親ではない場合、親が出す台札がハートかクラブのどちらかであれば、勝利が決定します。

「ページ・ワン」宣言のために最強の札をとっておくこと！

「最後の2枚が勝負の分かれ目なのだ！」

「ページ・ワン」宣言用のカードは、なるべく強いカードにしましょう。さらに、「ページ・ワン」宣言用のカードを出すためには、その前の番で台札の権利がとれるように、2番目に強いカードが必要です。なお、最後に出す（あがりのときに）カードは何でもよいので、2や3といった、弱いカードでOKです。

自分に台札の権利がないとき、ページ・ワンの時のために残しておいたカードのマークが出るかどうかは、運も必要だ！確率でいえば、1/4ということになる。この「ページ・ワン」宣言のカードが強ければ、最後のカードは何でもいいのだ！

[ページ・ワン]編 その2

Mr.トランプ直伝 必勝法

記憶力と手札の上手な出し方で、勝利の道へ

最初の4枚の手札だけで、勝利することはむずかしいはず。実際には積み札からカードをひき、数多くの手札を手にしながら、いかにはやくなくすのかがポイント。ほかのプレイヤーが何のマークのカードを持っているかを推理するのも重要だ!

ほかのプレイヤーが持っていないマークを記憶しておくことが、必勝の近道

たとえば、台札がハートでプレイヤーBが積み札からひいていた場合、「プレイヤーBの手札にはハートがない」とおぼえておきます。このように、各プレイヤーが持っていないマークを記憶しておくことで、自分が台札を出すときにほかのプレイヤーが持っていないマークを出し、積み札からより多くの手札をひかせる作戦です。

手札の枚数が増えちゃったときの切り抜け方

手札の枚数が多くなってしまったときは、まずは枚数の多いマークのカードをへらそう。イラストのような場合は、クラブをへらすようにしよう。たとえばクラブのJで台札の権利をとって、クラブの3を出して弱いカードをなくす方法もある。なお、クラブのJで台札の権利を確実にとるには、すでにQ、K、Aが使われたことなどを記憶しておくこと。また、マークは全種類バランスよく持つようにしよう。

Aやジョーカーで逆転をねらえ！

プレイヤーAとCがそれぞれハートのKとQで「ページ・ワン」宣言したところ。ところが、BがAを出してあがりをジャマします。

大逆転

プレイヤーAとCが「ページ・ワン」のひとつ前にAとKという強いカードで、台札の権利をとろうとしています。この時にジョーカーをつかってあがりをジャマし、さらに「ページ・ワン」へともちこんで逆転勝利へ！

みんなで紳士的にルールを守ろう

❶手札からカードが出せるのに、わざと積み札からカードをひく。
❷積み札からひいたカードが出せるのにさらにひく。

この2つはルール違反だよ！特に❷は、たとえばハートがなくて積み札からカードを取り、ハートのAを積み札から取ったとき、強いカードなので出さずに取っておくのもダメ。もちろんジョーカーも同じだよ。積み札からジョーカーをひいたらすぐにその場で出そうね。

うまくウソをつける人が勝つ
ダウト

ゲームのすすめ方

カードの配り方 パターン①

ジャンケンなどで親を決め、親はカードをよくシャッフルして、プレイヤー全員に裏向きにして1枚ずつ配ります。

ゲーム・スタート

1

親が「イチ」といいながらカードを裏向きにしてカードを場に出します。このとき、出すカードは本当のAでも違う数字のカードでもかまいません。

> 💡 **チェックポイント**
> 順番通りの数字のカードを持っていなくてもパスは出来ないのでちがうカードを出さなければなりません。

2

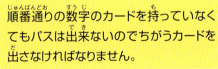

次の人から「ニ」、「サン」、「ヨン」といいながらカードを出していき、これをくり返します。

> 💡 **チェックポイント**
> (K)を出したらまた1(A)に戻ります。

Aから13までの数字を順番に出していって、手札がはやくなくなれば勝ちのゲーム。出すカードは順番通りの数字でも、ちがう数字のカードでもOKですが、ウソのカードを出したときに「ダウト」といわれると出ているカードをぜんぶ取らなければならないので、うまくウソをつくことが決め手です。

人数	使用カード	勝敗のルール	♥
3～7人	すべてのカード 52枚	手札を最初に全部なくした人が勝ち。	

③

「むむ、あやしいな。よし」

誰かがカードを出したときに怪しいなと思ったら「ダウト」と宣言します。宣言されたら出した人はカードを表向きにします。

「ロク」

ダウト!!

④

「どうしてばれたんだ」

表向きにしたカードがいった数字とちがっていたらカードを出した人は場にあるカードをすべてとらなければなりません。ここでは6の数字を出さなければならないのに4だったのでプレイヤーは場のカードをすべて自分の手札に加えます。

💡 **チェックポイント**

もしカードが本当なら「ダウト」を宣言した人が場のカードをすべて取らなければなりません。

⑤

最初にすべてのカードがなくなった人が勝ち。そのときのカードの残り枚数が少ない順番に2位以下が決まります。

勝利!!

[ダウト]編 Mr.トランプ直伝 必勝法

ウソと本当をおり交ぜてうまくダウトからのがれよう

自分の持っているカードのうちの何枚かはウソをついて場に出さなければなりません。自分の出せる本物のカードとウソのカードをどのタイミングで出すかの判断と、ウソをウソだと見破られない演技力が勝利のカギです。

自分の出せる本当のカードを確認しよう

実は自分の順番がきたときに出さなければならない数字というのは決まっています。もし4人でゲームをしているときに自分が3番目だったら3に4を足した数が出さなければならない数字です。3+4=7、7+4=11(J)、11(J)+4=15。13を超えた場合は15-13=2でこれをくり返します。図では3→7→11(J)と出せますが、手持ちのカードに2がないのでウソのカードを出さなければならなくなります。

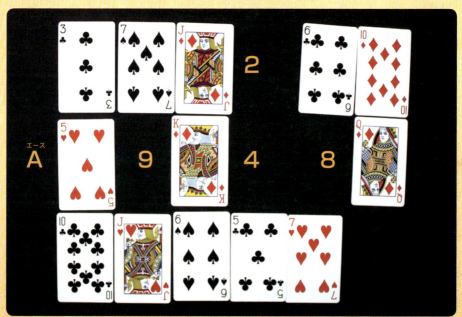

ウソに気づかれないように演技

ウソのカードを出すときに目が泳いでいたり、考えたりしているとほかのプレイヤーがウソのカードじゃないかとうたがいましょう。ウソのカードを出すときは、本当のカードを出すときよりちょっと変な動作をして相手をまどわすのも手です。

うまくだますぞ…

自分の手札から相手のウソを見破る

もし自分のカードの中に同じカードが2枚以上あれば、3回目以降にその数字のカードを出した人は確実にウソのカードを出していることになります。すかさず「ダウト」を宣言しましょう。

これは一回でもダウトで相手の手札が増えてしまうとダウトの成功率が下がるので一回限りの必殺技と考えよう!

枚数が少なくなったらできるだけ本当のカードを残しておこう

残りの枚数が少なくなったら相手もそのカードが本当かどうかうたがうはず。本当のカードを出して相手に「ダウト」といわせれば、相手に大量のカードを押しつけることができます。当然自分が「ダウト」をいうときは注意をしなければなりません。

記憶力とカンで競う
神経衰弱（しんけいすいじゃく）

ゲームのすすめ方

カードの配り方

カードはよくシャッフルしておきます。カードが重ならないように気をつけながら、すべてのカードを裏向きにならべていきます。きれいにならべるのではなく、バラバラの向きに広げていきます。

① ゲーム・スタート

ジャンケンで親を決め、親の左どなりの人から時計回りでゲームを進めます。

よーし よくおぼえるぞ

あーんちがった

チェックポイント
神経衰弱は順番があとの方が有利になるため、親は一番最後のプレイヤーになります。

こんなゲームだ！

トランプゲームの定番のひとつが神経衰弱。ルールもかんたんで裏向きに並べたカードをプレイヤーが順番に2枚表向きにしていき、その2枚が同じ数字なら自分のものにすることができます。「どこに、どの数字や絵柄のカードがあったか？」その記憶力を争うゲームです。

人数	使用カード	勝敗のルール	♥
2～6人	すべてのカード52枚	同じ数字のカードを2枚1組としてひき当て、いちばん多い枚数（組数）を取った人が勝ちです。	

プレイヤーは、裏向きのカードの中から自由にカードを選び、1枚ずつ計2枚を表向きにします。この2枚のカードが同じ数字なら自分のものにできますが、ちがったときは、そのまま裏向きに戻し、次のプレイヤーへ。

> 1回目だから仕方ないなぁ

❷をくり返すことで、同じ数字や絵柄のあるカードの場所がわかるようになります。たとえば、「5」（写真ではハートとダイヤ）をひき当てたら、そのペアのカードは自分のものになり、その人はもう一度チャレンジすることができます。

💡 チェックポイント

失敗するまで、何回でもめくることができます。

場からカードがなくなるまで進め、一番多くの枚数（組数）を取った人が勝ちとなります。ここでは9組を当てた親の勝ちです。

[神経衰弱]編

Mr.トランプ直伝 必勝法

自分の近くのカードをおぼえる方がいい!

人のめくったカードを含めすべてをおぼえておくことは不可能です。「どこに何のカードがあるか?」をおぼえるには、最初は自分の目の前にあるカードを自分でめくり、それをシッカリおぼえます。そして向かいの人やとなりの人の前など、もう1カ所ぐらい範囲を決めておきましょう。

自分のおぼえたカードと同じ数字のカードが出るのを待つ!

自分の目の前のA、9、4、10（マークは関係ない）を暗記しよう。自分の前の番の人がAをめくったけど、合わなかった。そのときにAの位置をしっかり頭にいれておけば、自分の順番で必ず取れるぞ。さらに自分で9、4、10をめくればもう1枚の位置はわかるから確実にゲットだ!

確実におぼえているカードはあとからめくる

自分の2つ前の人が7をめくったが、その位置をはっきりとおぼえていない。そういう場合は、あいまいな方を先にめくります。もし、7ではない場合、おぼえている7をめくる必要がないからです。

ラストの10〜12枚は集中力が必要

ここまで来たらあとは集中力と運で勝負だぞ!

このぐらいの枚数になったときに失敗したらもう自分の出番はこないかもしれません。逆に自分の番が回ってきたら逆転のチャンス。最初の1組が決まれば、残りは8枚、それも取れると、残りは6枚と段々とラクになります。
(ルールによっては、ラスト10枚でカードをまぜて、カードの位置がわからないようにしてゲームを再開する場合もあります)

同じマークの合計点が51になったら勝ち！

51（ごじゅういち）

ゲームのすすめ方

カードの配り方

❶ 親は1枚ずつ裏向きにしてプレイヤー全員（ここではA～Cと自分）に配り、1枚を表向きにして中央に並べ場札とします。

❷ ❶を5回繰り返し、各プレイヤーの手札が5枚、場札のカードが5枚になるように配り、残りのカードは裏向きに置いて積み札とします。

ゲーム・スタート

❶ 親から時計回りにゲームをスタート。各プレイヤーは手札を見て何のマークを集めるかを判断し、不要な札を1枚すて場札から1枚とります。

> ダイヤが3枚あるからダイヤを集めてみよう！ハートの2をすててダイヤの3をひこう！

同じマークのカードを5枚集めて、一番はやく数字の合計が51か51に近い数になった人が勝つゲーム。どのマークを集めるのかの判断力や、ほかの人が何のマークを集めているのかを読む推理力がポイントです。また、どのタイミングで「ストップ」「コール」をかけてあがるのかも大事。

人数	使用カード	勝敗のルール
3人以上	すべてのカード52枚 ＋ジョーカー1枚	A：11点、K、Q、J：10点、ジョーカー：10点または11点、そのほかのカードは数字通りの点数。

チェックポイント
1周目は必ず手札を1枚すてて場札から1枚とらなくてはなりません（手札がどんなによくても必ず1枚すてなくてはならない）。

うわっ！パスしたいけど1周目だから必ず1枚すてなくちゃ。

チェックポイント
1周目のみ5枚の手札をすべて場札と交換できます。

マークがぜんぜんそろっていない…よし！場札はスペードが3枚そろっているから、全部交換しちゃおう！

2周目からは場札にほしいカードがなければパスしたり、場札をすべて流して積み札から新たに5枚並べることができます。

1枚もほしいカードがない！

チェックポイント
流した場合、新たな場札がすべて気に入らなくてもパスはできません。必ず1枚ひいてください。

④

手札の数字の合計が51になったら「ストップ」といって自分の手札を見せ、ほかのプレイヤーもその時点でゲームを終了して手札を見せて順位を決めます。

ストップ!!

11+10+10+10+10=合計51

💡 **チェックポイント**
5枚ともすべて同じマークでなければ0点です。

しまった!!
1枚だけマークがちがった…

⑤

11+11+10+10+8=50
51じゃないけれど多分、一番高得点のはず…

コール!!

51点にならなくても今の時点で自分が一番51に近いと判断できるなら「コール」といってゲームを終了させることができます。

💡 **チェックポイント**
「コール」といった次の人から1周だけ手札の交換ができます。ただし、場札を流すことはできません。パスはOK。

ゲーム終了

得点を計算します。

チェックポイント

❶「ストップ」や「コール」をかけた人より高得点や同点のプレイヤーがいた場合、最下位になるので注意。
❷同点の場合！ ❶スペード、❷ハート、❸ダイヤ、❹クラブの順で勝ちます。

[51]編　Mr.トランプ直伝 必勝法

同じマークのカードを5枚そろえることに集中しよう!

高得点のカードがそろっていてもマークが同じでないと0点になってしまうので要注意。したがって、早めに5枚とも同じマークにそろえることが重要だよ。最初は合計点が低くても、じょじょに同じマークで高得点のカードをねらっていくのが基本の勝ち方です。

同じマークをそろえることが1番! 高得点のカードにまどわされないこと

手札の数字だけを見ると高得点カードがズラリ!ハートの5をすてて高得点のクラブのKをひきたいところだけど…。

51で勝つコツはまず同じマークを5枚そろえること。高得点カードで合計点が51に近くても、1枚でもちがうマークがまじっていたら0点になるから気をつけて!

✗

合計点は51点でもマークがそろっていないので0点!

VS

◯

同じマークで28点。でも左のカードより得点は上

この場合は場札のハートの2をとって、ダイヤのJかクローバーのQ、スペードのKのどれかをすてればよかったんだね。マークがなかなかそろわない場合は、思い切ってそろえるカードを変えた方がいい結果になることもあるぞ。たとえば、この写真の場合、手札にダイヤのJ、場札にダイヤのAとQがあるので、ダイヤをそろえるように変更してもOK。

勝てる！と思ったらはやめに「コール」を！

マークが5枚そろっており、51までいかなくてもほかのプレイヤーより高い合計点と判断できたら「コール」するのがポイント。回数を重ねてしまうと、各プレイヤーの得点がだんだんと高くなっている可能性があるので「コール」するならはやいうちがねらいめです！

マークがそろっていて合計点が47点。すでに、クローバーの10が流れてしまっている場合、これ以上の高得点は望めないので、思い切って「コール」をかけて勝負に出る価値はあるぞ！

カンと勢いで勝負する
銀行（ぎんこう）

ゲームのすすめ方

カードの配り方

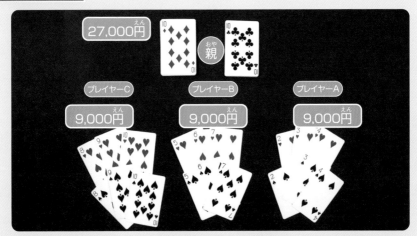

お金の代わりとなるカードを配ります。親（バンカー）をジャンケンで決めたら、親は52枚のカードの中のAを含む絵札（K、Q、J）16枚をのぞきます。残りの36枚のカードは、お金として使います。

カードの金額はいろいろな決め方がありますが、ここではシンプルに次のようにします。

ハートとダイヤ……2,000円

スペードとクラブ…1,000円

金額に数字は関係ありません。ハートの10も2も同じ2,000円です。
36枚のカードの総額は、54,000円になり、この半分の27,000円分を親が持ちます。残りは子（預金者）で均等にわけます。子が3人なら1人9,000円になります。（割り切れない場合、あまったお金は親の持分になります）

銀行家（バンカー）1名と預金者数名が「かけ」をしていくゲームで、銀行家は預金者から多くのお金を集めるために、預金者は持ち金を増やして銀行家のお金を取るために「かけ」を繰り返す。「かけ」に勝つためにカンを働かせることがポイントです。

人数	使用カード	勝敗のルール
3～8人	すべてのカード 52枚	親が銀行家（バンカー）で、子は預金者になってかけをして銀行家か預金者すべてのお金がなくなったらゲーム終了。

ゲーム・スタート

親はAを含む16枚の絵札をよくシャッフルし、7枚を横1列に裏向きに並べます。8枚目を自分のカードとして目の前に置きます。子（預金者）は、7枚のどこか1カ所に自分のお金（預金）をかけます。なお、子は同じカードにかけることもできます。

Aのかけ金　3,000円
Bのかけ金　1,000円
Cのかけ金　4,000円

子(預金者)はかけ金を自由に決めます。子(預金者)全員が7枚の中から「ここぞ!」という場所にかけ終わったら、子(預金者)はかけたカード、親は自分のカードを「イチ、ニ、サン」という掛け声で同時に表向きにします。勝敗は、カードの強さで決まります。勝敗は、カードの強さは、A→K→Q→Jの順番です。

結果

プレイヤーA 親のQに対しAなので勝ち、かけた金額は自分のところに戻り、同額の3,000円を親からもらいます。

プレイヤーB 親のQに対し同じQなので、ひきわけ。かけた金額は自分のところに戻します。

プレイヤーC 親のQに対しJなので負け。かけた金額は親に持っていかれます。

A 3,000円もらう
B ひきわけでお金のやりとりなし
C 4,000円払う

⑤ 〈子の勝利パターン〉

このようにしてゲームをくり返します。親か預金者全員のお金がなくなったら、ゲームは終了します。子（預金者）の順位は持ち金の金額で決まり、預金額1番の子が次の親・銀行家になり、新しいゲームに入ります。

銀行家（親）「全部取られた」
A「24,000円」、B「18,000円」
C「12,000円」、次はAが親だ！

⑤ 〈親の勝利パターン〉

銀行家（親）
「全部いただき！」

参考ルール

●カードの金額をマーク（4種類）ごとに分けて金額の差を大きくし、かけ金に幅を持たせることで勝負に迫力が出ます。たとえば、次のような設定もあります。

スペード‥‥1,000円
ハート‥‥　600円
ダイヤ‥‥　300円
クラブ‥‥　100円

●Aのカードで2倍のもうけ。子（預金者）が勝ったときに、それがAのカードならかけ金の2倍をもらいます。親（銀行家）がAのカードを出した場合、引き分け以外はかけ金の2倍を子（預金者）から受け取ります。

●親がスペードのAを出した場合、親は預金者からかけ金をすべてもらうことができます。

[銀行]編

Mr.トランプ直伝 必勝法

確率を頭に入れて、カンで勝負！

銀行ゲームには必勝法といえるようなテクニックはありません。ただし、銀行につかうカードは、A、K、Q、Jの4種類。それぞれのカードをひく可能性は4分の1、25％になります。実際には、Aが続いたり、Jが続いたり、4分の1の可能性でカードが出るわけではありません。

組み合わせ16パターン

銀行ゲームの勝負は、下の写真のように16のパターンしかありません。親はAを出せば、ひきわけ以外のカードはすべて勝ち。逆に、Jならばひきわけ以外はすべて負けです。

子は「ここぞ!」と思うときに勝負に出よう!

たとえば子は、最初の方はかけ金を低くおさえ、親のカードの出ぐあいや7枚のカードの出ぐあいを見る方法があります。また、7枚のカードの出方を見るために同じ所にかけ続ける方法もあります。例をあげるなら、親は、K、A、Q、Q、Aとカードを出してきました。子が1カ所にかけ続けてきたカードは、A、J、K、J、Qとします。子は、次の親のカードはJだろう、自分がかけてきたところにJは出ないと予想し、かけ金を大きくします。予想は当たるかもしれませんし、親が続けてAをひく可能性もあります。このかけひきが銀行ゲームのおもしろさです。

スピーディーな動きが勝負のカギ

うすのろ

ゲームのすすめ方

カードの配り方

同じ数字のカード4枚を1人分として、人数分だけ用意します。たとえば4人であれば4組用意します。カードの数字は何でもOK。ジャンケンで親を決め、カードをシャッフルして裏向きにして4枚ずつ配ります。

▶ ゲーム・スタート ◀

4人でゲームするなら、4組あればOK

1

4人であれば3個の宝を中央に置きます。同じ距離になる位置におきましょう。「イチ、ニ、サン」のかけ声で、4枚そろえるために必要のないカードを左どなりの人に渡します。だれかが同じ数字のカード4枚をそろえるまで、これをくり返します。

いらないのは7かJだな!

2

1、2、3!

こんなゲームだ！

全員が4枚の手札の1枚を左どなりに渡し、同じランク（数字）のカードを4枚集める。4枚そろえた人が宝（チップやマッチ棒など）を取る。このとき手札のそろっていない人も宝がとれます。宝は人数より1枚少ないので、スピーディに行動することが大事なゲームです。

人数	使用カード	勝敗のルール
3～7人	同じ数字の カード4枚×人数分	カードを渡しながら、プレイヤーの数より1枚少ない宝を取り合い、取れなかった人が負け。

3

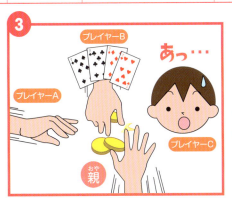

イラストのようにプレイヤーBが「7」を4枚そろえて宝をとろうとします。このとき親やプレイヤーA・Cは数字がそろっていなくても、宝をとれます。宝は3枚しかないので、宝のとれなかったプレイヤーCが、この回の負けになります。

	う	す	の	ろ
親	○	○		
A	○			
B	○	○	○	○
C	○	○		

点数表を作り、1回目の負けで「う」に丸をつけます。4度、宝をとりそこなうと「うすのろ」となり、その人が負けとなりゲームが終了します。

💡 チェックポイント

だれも数字がそろっていないのに、宝をとってしまった場合はお手つきとなり、その人が負けとなります。

[うすのろ]編 Mr.トランプ直伝 必勝法

手札のカードより、ほかの人の動きに注意

うすのろは「すばやい動き」や「反射神経」などスポーツと同じような力も必要です。スポーツが苦手な人でも勝つ方法は、ほかのプレイヤーの動きや場にある宝の方に目を向けること。ほかの人の動きをよく見れば勝つ可能性がグンとあがります。

手札のカードより、コインに集中!

4枚のカードをそろえることばかりに集中していると、ほかの人が先に4枚そろえて宝を持っていく瞬間を見逃すことがあります。気がついたら、すでに場に宝はないということも。自分の手札を見たり、カードを渡すことに集中するより、宝に伸びてくる手に集中する方が勝つ確率はグーンと高くなります。

カードを4枚そろえる気は、最初からゼロ。宝に集中して、だれかが4枚そろえるのを待つぞ!

お手つきを誘うという大胆な手もある!

4枚のカードがいかにもそろったようなジェスチャーをしながら、宝に手を伸ばし、実際には宝をとる直前で手を止めてとらないという荒技もあります。この技を上手にできると、ほかにプレイヤーが手を伸ばした勢いで宝をとってしまい、お手つきとなり、負けになってしまいます。

ウソー、今伸びてきた手はなに? 宝をとっちゃったよ!

カードの持ち合いに気をつけよう!

写真のようにAとCが7を2枚ずつ、Bと親が10を2枚ずつ持っていたとします。この状態になると、お互いに3枚目のカードがくると思い、いつまでもそろわずに同じカードがグルグルと回っているだけになります。早く打開して、4枚そろえることも大事です。

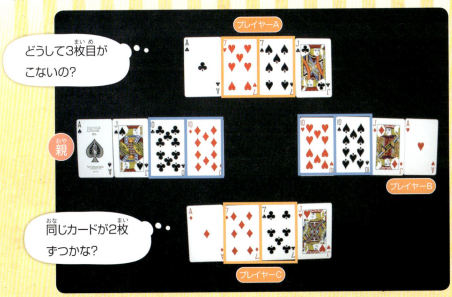

ギリギリのタイミングで宝をとる

カードがそろっていても次の交換がはじまるギリギリ前まで宝をとらない。これはほかの人はゆだんするため、自分は安心して宝がとれます。これもりっぱな作戦です。

トランプの歴史

トランプが日本に入るまで

トランプの起源はアジア？

トランプの誕生にはいろいろな説がありますが、トルコの「マムルーク・カード」が起源と考えられています。マムルーク・カードの起源は7〜8世紀頃の中国説が最も有力です。このカードが中東を経由してイタリアに入り、その後ヨーロッパ中に広がりました。現在、私たちが使っているトランプは15世紀にフランスで作られたデザインを元にイギリス・アメリカで改良されたものです。

日本に入ってきたのは戦国時代

トランプが日本に来たのは戦国時代の1543年に鉄砲などと一緒に入ってきました。「南蛮かるた」と呼ばれそれを元に国産の「天正かるた」が誕生しました。かるたとはもともとトランプのことだったのです。その後「うんすんするた」や「めくりかるた」など日本独自のかるた（トランプ）も誕生しました。

現在のトランプが入ってきたのは明治時代

明治時代に入って欧米の遊びであったトランプが日本で大流行。国外でトランプは「プレイングカード」または「カード」と呼ばれるのですが、なぜ日本でトランプと呼ばれるのかというと、ポルトガル人がカードゲームをしていたときにポルトガル語で切り札を意味する「トランプ！」と何度もいっているのを耳にして「あれはトランプという道具なんだな」と勘違いしたのが原因なんです。

グループで楽しめる トランプゲーム

Check!

技と推理と運を試すゲーム

大貧民 （だいひんみん）

ゲームのすすめ方

カードの配り方　パターン①　はじめは親、2回目からは最下位が配る

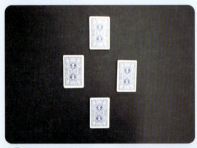

ジャンケンで親を決め、親が左どなりから1枚ずつ裏向きでカードを配り、すべてのカードを配ります。なお、2回目以降は最下位（大貧民）がカードを配ります。（ゲームのスタートも大貧民から）

カードの強さ

強 ジョーカー→2→A→K→Q→J→10…3 **弱**

＊最後のカード（あがるとき）にジョーカーと「2」はつかえないというルールもあります。

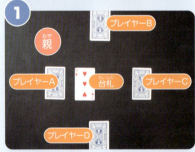

ゲーム・スタート

親が手札からカードを場に出します。このカードの出し方は、61ページの「カードの出し方パターン」のどのタイプでもOKです。これが台札になります。

順番は時計回り。次の人は、出ているカードと同じ出し方で、そのカードより強いカードを出さなければいけません。マークは関係ありません。

一回目はふつうに手札がなくなった人が勝ちというシンプルなゲームだけど、二回目からは大富豪が有利になり、なかなか大貧民から抜け出せないので大貧民または大富豪という名前が付いています。またローカルルールも豊富です。

人数	使用カード	勝敗のルール	♥
3～6人	すべてのカード52枚＋ジョーカー1枚	ルールに従って手札を場に出していき、最初になくなった人が一番（大富豪）、ビリを決めるまでゲームは続行。	

3

前の人より強いカードを出せなかったり、出すことができても作戦上、出したくないときは「パス」ができます。ここではプレイヤーDがパス。

4

ゲームは一周だけでは終わりません。プレイヤーA（親）もBも前の人より強いカードを出します。写真では、プレイヤーAがスペードの10、BがダイヤのA。

5

最後にカードを出した後、次の人から全員がパスした時点で、その人が勝ちとなり、次の台札を出す権利を持ちます。ここでは、プレイヤーBが出したダイヤのAにC、D、Aがパスしたので次はBからです。

6

つかったカードはすて札としてよけて、親になったBは、次の回の台札を出します。ここではプレイヤーBがハートの4とクラブの4を出しています。これと同じ出し方でDが6のペア、Aが8のペアを出しています。このようにしてゲームは進行します。

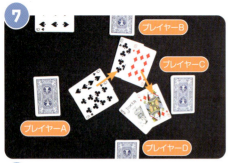

ゲームが進行し、ある回でジョーカーをつかってカードを出した場合、その時点でジョーカーをつかった人の勝ちとなり、次の台札を出す権利を持ちます。写真では、プレイヤーCがQとジョーカー（この場合Qとなる）を出して、その時点で勝ちです。

最初に手札をなくした人が一番（大富豪）になり、ゲームから抜けます。残り3人になり、1人になるまでゲームは続きます。なお写真のようにプレイヤーDがダイヤのAであがり、それ以上強いカードが出なかったときは、次のプレイヤーが台札を出します。

勝利！

2回目以降のゲーム・スタート

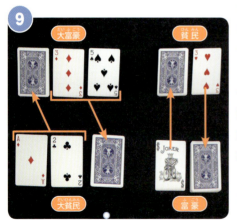

1回目の勝ち負けが2回目以降に大きく関係してくるところが、このゲームのおもしろいところです。1回目ではやくあがった人から、次の呼び名がつきます。

1番はやくあがった人→大富豪
その次にあがった人→富豪
ビリから2番目にあがった人→貧民
ビリになった人→大貧民
5人以上でゲームした場合、その中間の人は「平民」になります。

2回目は、大貧民が親となりカードを配ります。ゲームのスタートも大貧民からですが、その前に富豪たちが有利になるカードの交換があります。大富豪は2枚、富豪は1枚、手札の中からいらないカード（弱いカード）をそれぞれ大貧民と貧民に渡します。逆に大貧民と貧民は手札の中から1番強いカードを正直に渡さなくてはいけません。

「ああ…
とっておきの
カードが」

大貧民の点数表

大貧民はゲームを始める前に、5回戦や10回戦と決めておき、左のような点数表に従って、1回ごとに得点を出します。そのトータルで最終的な大富豪(勝者)と大貧民(敗者)が決まります。

点数表			
大富豪	10点	貧　民	マイナス5点
富　豪	5点	平　民	1点
大貧民	マイナス10点		

カードの出し方パターン

1枚ずつ出す
前の人より強い数字のカードを1枚出します。マークは関係ありません。

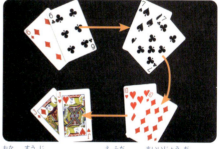

同じ数字のカードや絵札を2枚以上出す
同じ数字や絵札のカード(ペア)を2枚以上出すことができます。

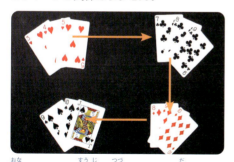

同じマークで数字が続くカードを出す
同じマークで数字の続くカードを3枚持っていれば出すことができます。

ジョーカーを入れてカードを出す
①1枚で出せば「2」より強い。
②同じ数字のカードとして出せます。
③同じマークで数字が続いているカードとして出します。

ローカルルールでもっと楽しく

一度大貧民になるとなかなか抜け出すことができません。そこでローカルルールと呼ばれる大貧民にとって有利なルールをいくつか紹介します。普通のルールになれたらこれらのルールをとり入れて、よりエキサイティングなゲームを楽しみましょう。

革命

同じ数字を4枚出したらカードの強さが入れかわるルールです。これはカードの強さが3→4→…A→2の順から2→A→…4→3の順に入れかわります。弱いカードしかない大貧民にとってチャンスです。ただしジョーカーだけは3より強い最強のカードであることは変わりません。

チェックポイント

革命の状態をふつうの状態に戻すルールを革命返しといいます。革命返しは革命直後に出すことも可能です。

「甘い革命返し!」

シバリ

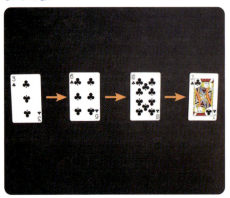

「カタメ」とも言われます。はじめに出したカードに限らず、途中からでも連続して同じマークが続いた時に、それ以降はそのマークのカードしか出せなくなってしまいます。普通は2枚連続でシバリになりますが、3枚連続で続いた時のみシバリにする場合もあるようです。この時でもジョーカーは出すことができます。

3→6のクローバーの後は7以上のクローバーのカードしか出せなくなります。

8切り

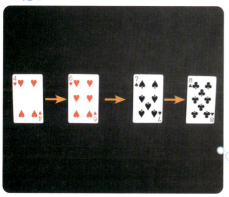

8をだれかが出した時点で、その回は流れるというものです。8のあとはジョーカーも出すことができません。ある意味最強のカードとなるわけで、切り札としてもとても有効です。

「8より強いカードを
持っていても
出せないなんて」

11バック

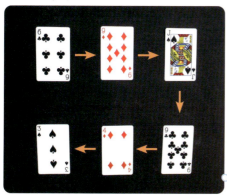

だれかがJのカードを出したら、出した人はそのあと上に進むようにするか、下に進むようにするか選択することができます。上に進むとは今のままの状態のことをいいます。下に進むとは一時的に革命状態になり、その回はJ以降10以下のカードしか出すことができません。

「Jが出たら10以下
しか出せないぞ」

都落ち

これは大富豪の独走を防ごうという考えから生まれたルールだといわれます。大富豪が一度でも2位以下になったら、次の回は大貧民からスタートしなければならないというものです。大富豪の人が一番にならないように協力してみてはどうでしょうか。

［大貧民］編 その1

Mr.トランプ直伝 必勝法

自分が親になれそうなときに強いカードをつかおう

強いカードが多いなど手札の良し悪しとカードを出すタイミングが勝敗をわける、大貧民。どのような流れで、どのカードを出すべきなのかという判断が大事です。そのための基本となる技術を紹介します。これで大富豪、間違いなし!?

基本の中の基本、手札をならべかえる

カードが配られたら、手札を弱いカードから強い順へならべかえることが基本です。こうしておかないと、どのカードを出すのかというすばやい判断ができなくなるからです。
基本的には弱いカードをはやめになくすことがポイントです。手札を見て、理想的なカードの減らし方を考えてみることも大切です。

ハートの5、6、7が3枚で出せることを見逃さないように5をペアで出すときに、ハートはつかわないように気をつけよう!

手札のカード

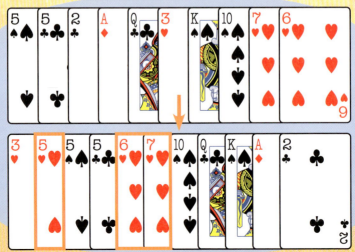

台札を出す権利〈親になる〉をはやめに取る

弱いカードをはやめになくすためには、親にならなければいけません。強いカードをはやめに使って、弱いカードを処理してしまうことも、作戦のひとつです。特に「3」のカードは、前の人より強いカードを出さなければならない大貧民では親になって出さない限り、いつまでも残ってしまうカード。また、同じマークで数字が続くカード3枚は、手札を一気に減らすためにもはやめに出したいカードです。ここでは、ダイヤの5,6,7を親になって出してしまうことも必勝法のひとつです。

出しちゃえば後がラク！

※「2」を出して親になるつもりでもそのときにジョーカーをつかう人がいたらなれません。同じように「A」の場合も、2やジョーカーをつかう人がいれば、親になれないのでタイミングが大切になります。プレイヤーの基本的な心理として、ゲーム開始直後には2やジョーカーをつかう人はいないので、はやめに使ってしまうのも作戦です。

[大貧民]編 その2
Mr.トランプ直伝 必勝法

カードのムダづかいをしないでゲームを進めよう

大貧民の必勝法に欠かせないのが、パスの仕方や場のチェック、そして技（カードの出し方）です。これらの上手なつかい方が勝負のわかれ目になります。

パスをうまく利用する

状況や場合によって変わってきますが、イラストのように場のカードが10、Qと続き、自分の番がきたときにKを単独で出すこともできますが、わざとパスするのも有効な作戦です。

Kを出しても、その次の人たちがA、2、ジョーカーを出す可能性があるので、親にはなれないかもしれません。Kを2枚（ペア）で出すチャンスがきた場合は、親になれるチャンスはグーンと高くなります。Kのペアに勝つためには、Aか2のペアしかありません。どちらも強いカードなので、Aや2は1枚ずつつかうことが多いからです。

流れたカードのチェックは重要

ゲームのポイントをにぎっているのは、ジョーカーや2、そしてAの強いカード。ゲームが進行してくると、流れた(使われた)カードがどんどん増えていきます。だから、場にどのくらいこれらのカードが流れているかのをチェックすることが重要です。もし、ジョーカーと4枚の2、Aが流れていたら、Kは最強のカードとしてつかえるからです。

もう、ジョーカーも2もAもないぞ!

カードの出し方には基本がある

このような手札になったとき、7を3枚で出すことも、7、8、9のクラブ3枚出しのどちらも選べます。この場合、迷うことなく7、8、9のクラブ3枚と7のペアの5枚として考えましょう。理由は簡単、7を3枚で出してしまえば、単独のカードとして8と9が残ってしまうからです。

同じ数字のカードが2枚、3枚とあるときは、単独のカードをなくすように、または少なくなるように考えて出す方が有利です。

カードの組み合わせを考えるのが勝利のカギだ

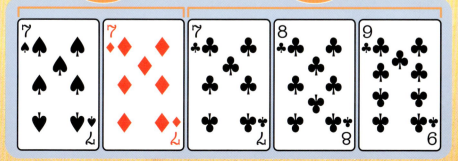

ペア / 3枚1組

ブラックジャック

「21」をめぐるギャンブルゲーム

ゲームのすすめ方

カードの配り方

親は子（A、B、C）に向かい合って座り、子はカードが配られる前にかけたいチップを自分の前に置きます。親は、52枚のカードをよくシャッフルし、左の人から1枚ずつ「表向き」に子に配り、親（自分）の分も1枚「表向き」で置きます。

親は、またカードをシャッフルして、同じように1枚ずつ「表向き」にして配り、親（自分）の分だけは「裏向き」に置きます。

ゲーム・スタート

①　ブラックジャック

親はカードを配り終えたときに、自分のカードを見ます。合計が21（ブラックジャック）のときは親の勝ちとなり、その時点で子（A、B、C）のかけていたチップをすべてもらうことができます。これは最初の親のカードがAと10、J、Q、Kのどれかの組み合わせでなければなりません。

ポーカーと並んで、欧米では古い歴史をもつゲーム。カジノで行われていたものでスリルも満点です。トランプゲームとして家族や友人たちと楽しむためには、ルール（ゲームの方法）がいろいろとあるので話合ってからはじめよう!

人数	使用カード	勝敗のルール
3〜6人	すべてのカード 52枚	カードの合計点を「21」または「21」に近い数字にした方が勝ち。

親の合計が「21」でないとき、親は子一人一人に「カードがいりますか?」と聞き、子は21にするためや21に近づけるために、カード（1枚ずつ）をもらうかを決め、もらうときは「ヒット」いらないときは「スタンド」と親に答えます。

親は、左のAから聞きます。現在、合計が12のプレイヤーAは「ヒット」しましたがJが出て、22となりプレイヤーBはドボン（バースト）となって負けてしまいました。
Bは、現在11、1枚もらうと「3」が出たので14。もう一度「ヒット」をしてもう1枚もらいます。「5」が出て、計19。「スタンド」を宣言します。プレイヤーCは、現在20なので、1枚ももらわずに「スタンド」を宣言しました。

親は、子のカードを配り終えたら「裏向き」のカードを表にします。ここでは「9」なので、親はカードはいらないことを伝え、全員と勝負します。

チェックポイント

親の数字の合計が16以下の場合は、もう1枚引かなければならないというルールがあります。

結果

親19　子A　22→負け→かけたチップ4枚は親へ
親19　子B　19→引き分け→かけたチップ2枚はBへ戻る
親19　子C　20→勝ち→かけたチップ2枚と同じ2枚を親からもらう

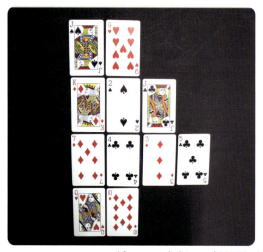

親19

A22（バースト）

B19

C20

※ゲームはこれをくり返します。最初から何回戦で行うか、あるいは親がどのくらい勝つか負けるかを点数で決めておき、親を交代します。

カードの点数

点数にマークは関係ありません。
A・・・・・・
状況によって11と1のどちらの点数にもつかえます。
J、Q、K、10・・・
絵札はいずれも10点。
9〜2・・・
カードの数字と同じ点数になります。

ブラックジャックの専門用語

これらの用語をつかってプレイすれば気分はすっかり大人の世界です。

ヒット(ドロー)・・・カードを1枚もらうこと。

スタンド(ステイ)・・・カードをこれ以上もらわないこと。

ベット・・・チップをかけること。

ディール・・・親がカードを配ること。

スプリット・・・配られたカードが同じ数字のとき、最初にかけたチップと同じチップを払ってそれぞれもう1枚カードをもらい別々に勝負できること。

ダブルダウン・・・プレイヤーがカードを見て最初にかけたチップと同じチップを払ってあと1枚だけカードをもらうこと。

サレンダー・・・相手のカードと自分のカードを見て勝ち目がなさそうなとき、チップを半分払って勝負をおりること。

バリエーションルール

ブラックジャックには、カードの組み合わせでボーナスがつく、バリエーションルールがたくさんあります。その中でも入れた方がおもしろいのが5シタ（ゴシタ）のルールです。

5シタ（ゴシタ）

カードを5枚もらって、21以下であればかけたチップの3倍がもらえる。（3倍は取り決めです。5枚もらってジャスト21なら5倍にすることもOK。さらに6枚、7枚もらって何倍というルールもあります）

その他

ブラックジャック
スペードのJとAで10倍

アラシ
21点以下で同じ数字のカードが3枚、2倍。
7の場合は4倍

6・7・8
この組み合わせで、21の場合は2倍。
同じマークなら3倍

トランプ式ブラックジャックの進め方

ふつうのブラックジャックより推理力を働かせるブラックジャックです。

① 親が子にカードを配る方法はふつうのブラックジャックと同じですが、カードはすべて裏向きで配ります。

② 親は、2枚目のカードを今度は表向きにして1枚ずつ配ります。親（自分）の分だけはまた裏向きに置きます。子は2枚目の表向きのカードを見て、チップをかけます。

A「強気にいくぞ!」
B「10なら期待できそう」
C「う〜ん…ひかえめに」

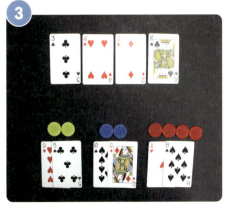

③ かけたら親はカードをオープンしブラックジャックのときは、ふつうのブラックジャックと同じで、その時点で親の勝ちです。ブラックジャックでない時のカード追加や16点以下の場合のルールはふつうのものと同じです。

勝負!!

[ブラックジャック]編

Mr.トランプ直伝 必勝法

攻略をまとめた表を覚えよう

＜カジノ式＞のブラックジャックなら、自分の手札と親の手札を見くらべてどうする方が有利であるかを数学的な根拠で一覧にした表があります。この表を参考にして勝負の仕方を考えましょう。

自分のカードの合計	親の表向きのカード										
	2	3	4	5	6	7	8	9	10	A
18〜21	S	S	S	S	S	S	S	S	S	S
17	S	S	S	S	S	S	S	S	S	S
16	S	S	S	S	S	H	H	H	H	H
15	S	S	S	S	S	H	H	H	H	H
13〜14	S	S	S	S	S	H	H	H	H	H
12	H	H	S	S	S	H	H	H	H	H
11	D	D	D	D	D	D	D	D	D	D
10	D	D	D	D	D	D	D	D	D	H
9	H	D	D	D	D	H	H	H	H	H
5〜8	H	H	H	H	H	H	H	H	H	H

この表が頭の中にあれば、強い味方

この表はベーシックストラテジー表と呼ばれているもので、プロも利用しています。

記号の意味

Sは、スタンド、そのままでカードはひかない。

Hは、ヒットでカードをもう1枚ひくこと。

Dは、ダブルダウン、トランプのルールにはありませんが、かけ金を2倍にしてカードをもう1枚ひくこと。

※これ以外のルールや自分のカードにAがあるときの表などもあります。

表の見方

自分の手札の合計が16点なら、自分のカードの合計という欄の16のところを見ます。そして親の表向きのカードが「6」ならSでそのままカードをひかない。右に移動し「7」〜「A」ならカードを1枚ひくという、戦略をあらわしています。

「勝負しようかな、でもこれ以上ひいたらあぶない気が…」

ドボン（バースト）しないことがポイント

ブラックジャックは、21点をオーバーしないような選択をすることが重要です。17点、18点ならそこでストップする方がかしこいでしょう。また、可能性が少なくてもやってみようと勝負を楽しむのもおすすめです。

おすすめ ブラックジャックの進め方＜推理式＞

ブラックジャックのおもしろさは、親から見た場合、裏向きのカードを予想することにあります。基本的には、トランプ式の進め方と似ていますが、チップをかけるタイミングがまったく違う進め方です。

最初のカードが1枚配られたときに、それぞれの子は自分のカードを見ることができます。そこで、チップのかける量を決めます。つまり、そのカードがAや絵札なら、21になるチャンスが大きいと見てかける量を増やします。紹介したトランプ式の進め方の違いは2枚目をもらったときにもあります。トランプ式では、裏になっているすでに配られた1枚目のカードを予想してかけなければなりません。＜推理式＞では、2枚目をもらったときに自分は21だ、20だ、その瞬間にわかる喜びがあります。その表情などを親はかけひきにつかいます。

なお、この推理式では親は16点以下でカードをひかなければならないというルールもなく、一人一人の子と対決しながら、カードをひくことができます。

ハラハラ・ドキドキ楽しめる

ドボン

ゲームのすすめ方

　パターン③

ジャンケンなどで親を決めます。親はカードをよくシャッフルして、プレイヤー全員に(ここではA～Cと自分)に裏向き1枚ずつ配り、合計5枚になるまで配ります。残りのカードは積み札として場に置きます。親は積み札の一番上のカードを1枚取って、台札として表向きに置きます。

ゲーム・スタート

❶ 親の左どなりの人から、台札と同じマークのカードか同じ数字のカードを手札の中から1枚出して、重ねていきます。

「台札がハートの8だから出せるのはスペードの8とハートの2、J」

クラブか4が出ないと…

 チェックポイント

手札に出せるカードがないときは積み札からカードを取り、そのカードが出せるならその場で出し、出せないなら次の人の番になります。

こんなゲームだ！

台札と同じマークか同じ数字のカードを出して、手札が早くなくなれば勝ちのゲーム。特別な性格を持つ役札（ルールとしてさまざまな取り決めの役割を持つカード）や一発逆転の「ドボン」のルールなどを利用した、ちょっと頭をつかうおもしろいゲームだよ。

人数	使用カード	勝敗のルール
3〜6人	すべてのカード 52枚	最初の手札は5枚、途中で増えることもあるけど、手札が一番はやくなくなった人が勝ち。

2

手持ちのカードが残り1枚になったら「リーチ」といいます。この宣言をいい忘れると、積み札からカードを1枚取らなければなりません。

「しまった！いい忘れたからもう1枚取らないと」

リーチ!!

3

最後の1枚を出し終わったら勝利です。負けた人は持っているカードによって点数が決まります。

「やった！ワタシの勝ちだ」

リーチで最後の1枚を出して勝つ以外に、「ドボン」というルールを使って勝つ（あがる）こともできます。このドボンは自分の番ではなくても、「ドボン」と言えばあがれる必殺技です。だれかが出したカードの数と手札のカード全部をたし算して合計が同じなら、場に全部のカードを出してあがれるというものです。

3+2+5+A=11

「Jだから11…
数が合っている！
よし」

失敗した〜

ドボン！！

チェックポイント

※「ドボン」といわなかったり、計算（たし算）が間違っていたときのペナルティ（罰則）は、決まりがないので積み札からカードを10枚取るなど、ゲームをはじめる前に決めておきましょう。

最終の勝敗は点数表をつけよう！

ドボンは最初に行う回数を決めておいて、点数をつけます。点数はだれかがあがったときに、手札として残っているカードの合計が負けの点数となります。最初にあがった人は0点なので、トータルの点数が少ない人が勝者になります。なお、勝った人が次の回の親になります。

回数＼メンバー	1	2	3	4	5
プレイヤーA	22	10／計32	16／計48		
プレイヤーB	13	○／計13	10／計23		
プレイヤーC	○	26／計26	11／計37		
親	15	20／計35	○／計35		

※Aは1点でKは13点、中間は数字通りです
※ルールでは手札に役札の「8」「2」「A」「Q」「J」を残したときはマイナス点を大きくする場合もあります。特に、「8」と「2」のマイナスを大きくします。
※また「ドボン」であがられたらそのプレイヤーの点数を2倍するなど、ルールを決めるのも大切です。

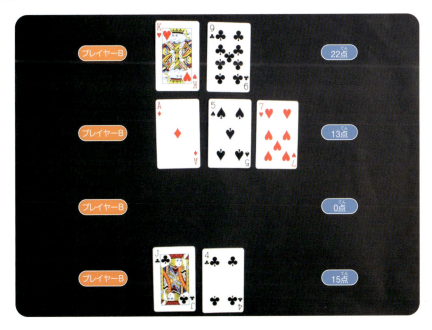

[ドボン]編 その1

Mr.トランプ直伝 必勝法

特殊カードを利用してライバルをあがらせない

ドボンには特殊な効果を持つ5枚のカード「8」「A」「2」「J」「Q」。どれもがゲームを有利にするカードなので効果を良く覚えよう。リーチやドボンの可能性が高いライバルに対してつかうと効果バツグンだ!

「8」はオールマイティなカード

台札がどんなマーク、数字でも出すことができるオールマイティなカードです。出した人は好きなマークを指定できます。

「じゃあ次はスペード」

「2」は相手に2枚ひかせます

2は出したら次の人が2枚ひかなければならないカード。次の人が2を持っていたらその次の人が4枚ひかないといけません。

「A」は次の人を飛ばす

Aの次はBの番ですが、このカードを出すとBを飛ばしてCの番になります。

「J」は順番を逆向きにします

Jを出すと左回りの順番が右回りになります。もう一度、Jが出たら順番は元の左回りに戻ります。

「Q」は一緒に2枚以上出せます

Qを出す時は一番上のマークが台札になります。イラストなら次のマークはダイヤ。

「ふふふ どうだ!」

「えっ!あと1枚で あがりなのに…」

[ドボン]編 その2

Mr.トランプ直伝 必勝法

カードの出し方とすばやい計算で勝負

ドボンは手札のどんなカードを出し、どんなカードを残した方が有利かというポイントがあるから覚えておきましょう。また、「ドボン」であがるには手札の合計点を常に計算しながら、場の台札とニラメッコしよう。他の人の手札の枚数もしっかり見ながらゲームするのが勝利のカギです！

J、Q、Kなどの大きな数のカードは早めに出す

プレイヤーの手札が少なくなるゲームの終盤で9、10、J、Q、Kなどの大きな数字を出すと、ドボンであがられてしまう可能性が高くなります。ただし、JとQは役札なので、最後までとっておくのもありです。Kだけは、はやめに手札から出してしまえば、ドボンされるのを防げます。
また、自分がドボンであがるには小さい数字を手持ちにした方が有利です。A、2、3、4、5の数字があれば、13（K）、12（Q）、11（J）、10、9などが出たときにドボンであがることができます。

「2」、「8」のカードは手札として残そう！

「2」の役札は、ゲームの中でタイミングよくつかわれるとダメージが大きいカード。手札が残り2枚になり、次の番で1枚出せば次はリーチだと思っているときに、2を出されると、積み札から2枚とらなければならず、あがりから遠のきます。「8」のカードはどんなときでも出せるカードでリーチで残り1枚のときに出せば確実に勝てるカードです。

「出した方がいいのかな…」

ドボンのための計算に強くなろう

2枚のときは、たし算がかんたんなので忘れずにドボンを宣言することができるけれど、3枚以上になると、意外に苦労をするのでカードのたし算になれておくことも大切。

「2+4+6はQ(12)、A(1)+2+3+7はK(13)」

最後の大逆転! ドボンカウンター

ドボンであがられたとき、その数字が自分の手札の合計と同じならドボンで逆転勝利ができます。例えばQを出したときに他のプレイヤーがドボンであがっても、自分の手札は2と3と7で合計は12。ここでドボン宣言するとこちらが勝ったことになるのです。

逆転勝利!!

ドボン!!

ひとりで楽しめる！トランプゲーム

みんなでワイワイ楽しむトランプゲームもいいけれど、ひとりでできるゲームもおぼえちゃおう。

カードをめくって文字盤を完成させよう！ クロックゲーム

用意するもの

すべてのカード52枚

カードのならべ方

カードをよくシャッフルして、右のイラストのように、時計の形にカードを裏向きにしてすべてならべてね。ならべる順番は1時から12時の時計回りに1枚ずつ、最後に真ん中の13時の位置に1枚おこう。

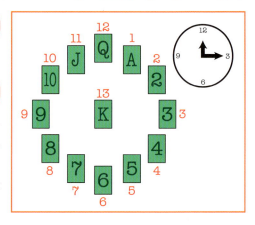

ゲームの進め方

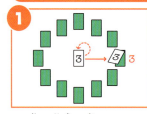

❶ 13時の位置に置いたカードの山の一番下をめくります。このカードが3だった場合、トランプの文字盤の3時の位置にカードを置きます。

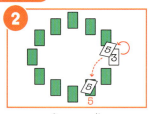

❷ カードを置いた3時のカードの山の一番下の1枚をめくります。このカードが5だった場合、5時の位置にカードを置きます。

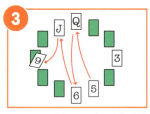

❸ ❶・❷の流れを繰り返し行い、文字盤の上にカードを置いていきます。1〜13まですべての山のカードが表向きになることを目指します。

ゲーム終了

13時の位置に置くKがA〜Qよりも先に表向きで4枚そろった場合はアウト！ ゲーム終了となります。

2人（ふたり）で楽（たの）しめる トランプゲーム

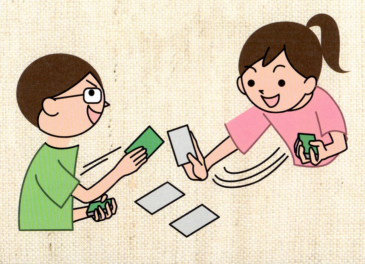

Check! ▶ 反射神経をとぎすませ!

スピード

ゲームのすすめ方

カードの配り方

親はすべてのカードを赤のマークと黒のマークにわけ、お互いに赤と黒のどちらかを手札として選びます。

手札が決まったら、お互いの束を交換して、よ〜くシャッフルします。

シャッフルをしたら、カードを相手に戻し、自分の手札を裏向きに重ねて置きます。

こんなゲームだ！

台札の2枚のカードの数に続くカードを、自分の4枚の場札から次々と出していくスピードが命のゲーム。台札に続けて出せる数字は台札の前後の数字だけ。赤と黒にわけるけれど、場札を重ねるときは、相手の台札の上でもOK！同じ数字が出た場合ははやい者勝ちで、重ねることはできませんよ。

人数	使用カード	勝敗のルール
2人	すべてのカード52枚	手札をはやくなくした人の勝ち。

ゲーム・スタート

1

お互いに手札の一番上のカードを表向きに出します。これが場札になります。

2

場札を出したら、「スピード！」とかけ声をかけ、手札から4枚めくって自分の前に表向きに出します。このカードを台札と呼びます。

③

自分と相手が出した中央の台札と自分の場札を見て、台札に続く数字のカードがあればすばやく重ねていきます。（例えば、台札にハートの5、場札にクラブの4がある場合は重ねられます。また、場札にスペードの3がある場合も重ねられます。数は増えても減ってもOK！Kの次はAが続きます）

「まだまだ続けられるわ！」

④

台札に場札を重ねたら、そのたびに手札から重ねた分のカードを補充していきます。どちらか一方が台札につなげられない場合も、もう一人がつなげられればゲームは続きます。

「出せるカードがないよ…」

どちらも台札につなげる場札がなくなったら、もう一度「スピード!」とかけ声をかけ、手札から新しい台札を出します。

❶〜❺ を繰り返して、手札がなくなった方の勝ちです。

スピード!

やったー!

「くやしい…」

[スピード]編 Mr.トランプ直伝 必勝法

台札と場札のカードの数字に全神経を集中させよう！

相手の動きを止めて、自分の手札をどんどん減らしていくのかをすぐに考えられるようになることが重要！相手のペースに巻きこまれないよう、まずは一人で練習して、落ち着いてゲームに望むことも大切です。

勝利への第一歩は相手の手札をしっかりとシャッフル！

ハートとダイヤの赤、スペードとクラブの黒にわけたあと、お互いの手札を交換してよ〜くシャッフル。相手の手札の数がそろったまま、ゲームをすると相手が有利になってしまうぞ。

自分に有利なゲーム展開は
いかにして、台札で相手の動きを封印するか!

ここからは反射神経と日々の練習がモノをいいます。「スピード!」で出したお互いの台札をよく、頭に入れておきましょう。

「う～ん 5か…」

「Kね…」

手札を4枚、場札として出します。例えば、AはA・Q・4・3、Bは6・J・7・8を出したとします。ここからが勝負のわかれ目!

「Kの上におけるのは QかAかな…」

「おっ、6・7・8が そろっているわ」

③ プレイヤーAが台札のKへQを出すと、プレイヤーBがJを出してしまいます。この場合はAをだすと、プレイヤーBの場札はあとに続くことができません。また、5の台札には4・3を出すと、同じくプレイヤーBはあとに続くことができません。

「フ・フ・フ、作戦勝ち」

「くそぉ〜、動きを止められてしまった！」

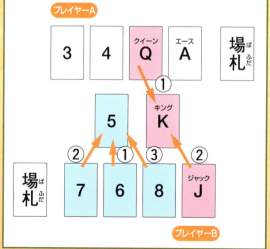

逆にプレイヤーBは6・7・8を5の台札の上に置くと一気に3枚の場札がなくなることになります。また、相手がKの上にQをのせた場合、Jを置くことができます。

数を増やすことも、減らすこともできるから いろいろな作戦がたてられる

相手と同じ数のカードがある場合は、自分だけ出せるカードはあとにして、相手より先に出すことが勝利への近道。カードの数は増えても、減ってもOKだから、例えば台札が5で相手が6と7、自分が5と4を持っていたとしても、5→6→5という展開なら、7を出されずに済むぞ。最初は自分が出した台札に集中して、なれてきたら相手の台札にも目を配ろう。

勝ったー!

「うぅ…負けた〜」

ニックネームのつけ方がポイント
ニックネーム

ゲームのすすめ方

カードの配り方　パターン①

ジャンケンなどで親を決めます。親はカードをよくシャッフルして左どなりから1枚ずつすべてのカードを裏向きに配ります。プレイヤーは裏向きのままカードを積んで、置いておきます。

❶ ゲーム・スタート

プレイヤーは自分にニックネームをつけることからスタートします。それを発表してみんなに覚えてもらいます。ニックネームは、「動物の名前」「歌手の名前」など条件を決めてつけた方が分かりやすいですよ。

A アサギマダラ

B モンシロチョウ

C ルリタテハ

D ツマグロヒョウモン

「イチ、ニ、サン」でカードを出し合い、同じ数字のカードが出たときにお互いのニックネームを呼び合うゲーム。はやくニックネームをいった方が勝ちとなり、それまでにすててあった自分のカードを相手に渡して、手持ちのカードをなくしていきます。

人数	使用カード	勝敗のルール	♥
2〜7人	すべてのカード 52枚	プレイヤー全員がニックネームをつけ、同時にカードを出し合います。手持ちのカードが先になくなった人が勝ち。	

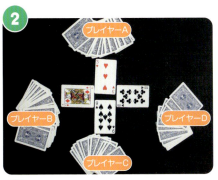

それぞれが積み札の一番上のカードを「イチ、ニ、サン」で同時に表向きに出し、同じ数字のカードが出るまで、これをくり返します。表向きのカード(すて札)はだんだん増えていきます。

だれかと同じ数や絵札が出た瞬間に、相手のニックネームをいい、先に間違わずにいった方が勝ちになります。勝った人は、自分の全部のすて札を相手に渡すことができます。

「モンシロチョウ!」

3人(最高4人)が同じ数や絵札を出したときは、ほかの2人のニックネームをいいます。この場合、一番いうのが遅かった人(負けた人)が勝った2人の捨て札をもらいます。このときもらった捨て札は、自分の積み札の一番下に入れていきます。これをくり返し、自分の手札をはやくなくした人が勝ちです。

※ルールによっては一番先に勝った人が、すて札を二等分して負けた2人に渡す場合もあります。

95

[ニックネーム]編

Mr.トランプ直伝 必勝法

ニックネームのつけ方と暗記力で勝つ

ニックネームの必勝法はかんたん。どのくらい、いいにくいニックネームを自分につけるかです。同時に、対戦相手のニックネームを正確におぼえ、声に出してはやくいえるように、短い間に自分の頭の中で訓練しておくことです。

ニックネームのつけ方と暗記力で勝つ

「自分でいえないよ～」

このゲームはニックネームをつけるときの条件、その条件に合ったむずかしい名前を知っているかで、大きく変わってきます。最初は、「イヌ」「ネコ」「ブタ」「ゴリラ」「ウシ」「サル」「ヒツジ」など、だれもが知っている3文字以内の動物という条件などでスタートし、ゲームになれることも大切です。P94のチョウの名前でも「ツマグロヒョウモン」という、いいにくくて長い名前をつけた方が有利です。例えば下の恐竜の名前をつけるときも、紙に書いてもらってゲームをスタートした方がよいでしょう。

子どもたちの好きな恐竜の名前をニックネームにしたら…

アンキロサウルス	ギガノトサウルス
コンポソグナトウス	ティラノサウルス
パラサウロロフス	プシッタコサウルス
ベロキラプトル	ヤンチュアノサウルス

早口言葉を練習しておく

口を大きく開けて、
「赤パジャマ、
黄パジャマ、
茶パジャマ」

急に複雑なニックネームを早口でいうことはできないものです。このゲームに参加するまえに、日頃から早口言葉の練習をしておきましょう。たとえば、次のような早口言葉を練習するのもおすすめです。

赤パジャマ、黄パジャマ、茶パジャマ
東京都特許許可局局長
(とうきょうととっきょきょかきょくきょくちょう)
坊主が屏風に上手に坊主の絵を描いた
(ぼうずがびょうぶにじょうずに
ぼうずのえをかいた)

考えるのではなく、反射的にいえること

同じカードが出た瞬間、相手の顔を見て、それからニックネームを思い出すというやり方では勝てません。ニックネームはスピードが命です。カードが出た方向だけで、すぐにニックネームをいえるようにしましょう。

向かいはアサギマダラ、
右はモンシロチョウ、
左はツマグロヒョウモン
これで万全だ!

なぜか熱くなる「運」だけのゲーム

戦争（せんそう）

ゲームのすすめ方

カードの配り方　パターン①

ジャンケンなどで親を決め、親はカードをよくシャッフルして左どなりから1枚ずつすべてのカードを裏向きに配ります。3人の場合は、52枚で割り切れないため親の左どなりの人が1枚多くなります。

 ゲーム・スタート

1

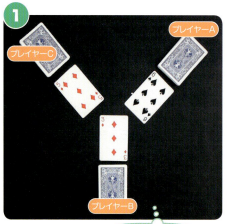

1、2、3

配られたカードは裏向きのまま手に持ちます。「イチ、ニ、サン」のかけ声とともに一番上のカードをもう一方の手で表向きにして場に出します。強いカードを出した人が場のカードをすべてもらいます。

こんなゲームだ！

ゲームのやり方はニックネームと似ているけど、カードをたくさんとった人が勝ち。「イチ、ニ、サン」でカードを出し合い、同じ数字のカードが出たときに「戦争」になります。この時は二番目に出すカードで勝負！「戦争」になったときに不思議なワクワク感がありますぞ。

人数	使用カード	勝敗のルール	♥
2～4人	すべてのカード 52枚	カードの強さはA、K、Q、J、10～2という普通の順序ですが、Aだけは「2」に負けてしまいます。マークは関係ありません。	

2

勝った人は、場のカードを自分のものにします。写真ではプレイヤーAが3枚のカードを自分のところに持って来ています。

3

ゲームを進めていくなかで、同じ数字のカードが出るときがあります。これが「戦争」です。同じカードを出した人同士が次の手札を表向きにして勝負します。また、同じ数字の場合は3回目の戦いに入り、決着がつくまでプレイます。

4

2枚目で決着がついたら勝った人が5枚のカードをすべてもらえます。これをくり返してだれかの手札が1枚もなくなれば、終了です。その時点でカードの枚数が多い方が勝者になります。

※手札がなくなったときは、勝ちとったカードをそろえ、裏向きにしてシャッフルし手札にします。

[戦争]編

Mr.トランプ直伝 必勝法

戦争のときは気合で勝つしかない

裏向きに配られたカードと場に出てくるカードの順序次第で決まるため、確実に勝つための必勝法となると、難しいです。ただ、戦争になったとき「勝負」という気持ちで気合を入れてカードを出せば、勝利の女神を呼ぶこともあるでしょう。ここでは戦争のおもしろさと特別ルールを紹介します。

戦争は2人でやるゲーム

本書では3人でゲームを進めていますが、2人＜サシ＞でやるゲームともいわれています。どちらもゲーム時間が長くなるため、時間を決めてカードの枚数を争うゲームにするのもいいでしょう。

強いAが2に負けるところがおもしろさのひとつ

ゲーム中、Aは2という例外を除いてK以下のすべてに勝てるナンバーワンのカードです。最初にカードを配られたときに、エースが何枚入っているかが勝敗を左右します。ゲームが進行し、手札を一度すべて使い切ったときには自分がAを何枚持っているかがわかります。Aは2と出会わない限り、持ち札として最後まで残りつづけ、勝ちつづけるカードです。

※2とAの戦いが優先されるため、Jも2を出した人のものになります。

戦争がもっとおもしろくなるルール

特別ルール①＜賠償金＞

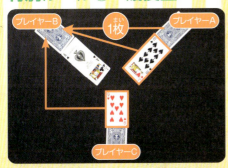

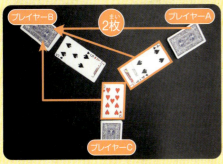

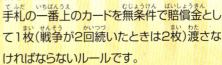

しまったAが

戦争で負けた人は、手札の一番上のカードを無条件で賠償金として1枚（戦争が2回続いたときは2枚）渡さなければならないルールです。

写真では、プレイヤーAとプレイヤーBが戦争になります。2枚目はお互いにAを出したため、また戦争になります。3回目、プレイヤーAが4、プレイヤーBは5を出して、プレイヤーBが勝ちます。この後、プレイヤーAは手札の一番上から2枚をプレイヤーBに渡します。この勝負でプレイヤーAは一気に9枚のカードを取ることになります。賠償金のこわいところは、賠償金として渡したカードがAやKだったりすると、被害はもっと大きくなることです。

特別ルール②＜作戦タイム＞

最初に配られたカードを手札として場に出し続けますが、その手札がすべてなくなるときがきます。そのとき、これまでの戦いで自分がとったカードが表向きになっています。これらを使ってゲームを再開しますが、このときカードを出す順序を自分で決めることができるルールです。出す順序を決めたら、また裏向きにしてゲームを続行します。この作戦タイムは、対戦者（1人または2人以上）が手札を残していても、対戦者も同じように自分がとったカードを加え、順序を決めて裏向きにしてゲームを始めます。最初に強いカードを並べたり、後半に強いカードを置くなど、作戦によってゲームの流れも変わります。

どういう風にならべるべきか

トランプ占いにチャレンジ！

ここではちょっと趣向を変えて、トランプ占いを紹介します。かんたんなので、学校のお友達や家族と一緒に占ってみてね。

仲良しの友だちと10年後はどうしているのかな？
あの子と私の友情度テスト

1 トランプの中から、スペードとハートの組に分けます。まず、スペードの束を持ち、占いたい友人の年齢の数だけシャッフルします。

2 シャッフルしたカードを上から1枚ずつ取り、左から右へ3枚だけ表向きにしてならべます。

3 次にハートの束を自分の年齢の数だけシャッフルし、スペードと同じように左から1枚ずつ、表向きに3枚ならべます。

4 スペードのカードとハートのカードを見比べて、同じ数字がないか探します。同じものがあれば2枚とも取りのぞきます。同じ数字同士が2、3組とあった場合も同じように取りのぞいてください。

5 残ったカードはマーク同士の数を足します。スペードの3とスペードのKなら3+13なので16。ハートが5とAなら5+1で6となります。足した数字の大きい数から小さい数を引きます。この場合は16-6で10。10が運命数となります。

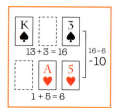

運命数の見方

●**0の場合** すべてのカードが取りのぞかれてしまったという2人は相性ぴったり！10年後も今と変わらず仲のよい親友のままでいられるでしょう。

●**1〜3の場合** これから10年間、2人の間にいろいろなトラブルがおこる予感。でも、この危機を乗りこえれば友情は今よりももっと深いものになるでしょう。

●**4〜7の場合** 10年後の2人は親友というよりは友人になっているかもしれません。しかし、再会すれば昔話に花が咲き、親友に戻れる可能性もあります。

●**8以上の場合** とっても仲がよかった2人ですが、ちょっとしたことで大ゲンカしてしまう予感。日頃からお互いを思いやる気持ちを持つようにしましょう。

3大(さんだい)
トランプゲーム

セブンブリッジ

やめられない、おもしろさがある

ゲームのすすめ方

カードの配り方

親はカードを裏向きにして左どなりから時計回りカードを1枚ずつ配り、各プレイヤーの手札が7枚になるようにします。残りのカードは裏向きのまま置き、積み札とします。親は最後に自分のところで2枚カードをもらい手札を8枚にします。

◀ ゲーム・スタート ▶

1 親は8枚の札の中から、「役」づくりにつかえそうにない不要な1枚を場にすてます。次に親の左どなりは、積み札から1枚カードをとって手札に加え、同じように不要な1枚を場にすて、時計回りで進みます。

　つかえそうにないのはダイヤのJかな

2 こうして役札ができたら、自分の番のときに「場」におろしてゆきます。（おろすとは役札を表向きにして、場に出すことです）役札ができても必ずおろす必要はなく、手札として持っていることもできます。

場にすてる最後の1枚を残すと同時に、手札をすべてなくした人（最初にあがった人）が勝ちです。

順番に積み札からカードを1枚取って手札を1枚すてながら、同じ数字3枚以上、同じマークで数字が3枚以上連番で続いている「役」をつくるなどして、手札を早くなくした人が勝ちです。また「ポン」「チー」などのルールや単独で置ける7などセブンブリッジ独特のルールあります。

人数	使用カード	勝敗のルール	
2～6人	すべてのカード52枚 +ジョーカー1枚	点数制で負けたときに残ったときの手札の点数を計算。Aはマイナス14点、Kはマイナス13点、Q以下は数字どおりですが、「7」はマイナス20点になります。	

1.役札の種類

積み札から1枚カードをとって手札に加え、次のような役札をつくるためにいらないカードや不要と予想されるカードを場にすてていきます。

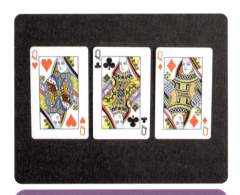

同じ絵札、数字の組み合わせで3枚以上

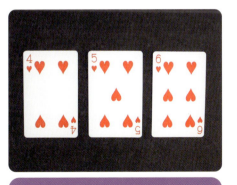

同じマークで連続する数字の組み合わせで3枚以上
（ただしKとAは連続する数字にはなりません）

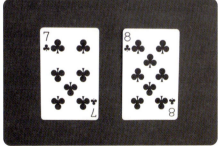

●7は1枚で置ける
●同じマークでの7と連続する数字の組み合わせが2枚以上

2.役札をつくるときやあがるためのルール

相手の札を利用する特別なルールがあります。
これらを利用してすばやくあがれるようにしましょう。

ポン

手札に同じマークや数字のカードが2枚あれば、だれかが同じマーク、数字のカードを場にすてたとき、「ポン」といって、そのカードを自分のものにして役札をつくることができます。できた役札は場におろさなければなりません。同時に手札の中から1枚、不要なカードを場にすてます。ゲームは「ポン」をした人の左どなりの人から再開します。

チー

同じマークで連続する数字の組み合わせ（3枚）の役札をつくる場合、手札に2枚同じマークで連続するカードがあり、それにつながる3枚目が出たときには「チー」といって、そのカードをもらいおろすことができます。同時に手札の中から1枚、不要なカードを場にすてます。「チー」は自分の右どなりの人からしかできませんので、注意しましょう。写真の場合、Cはハートの8と9を手札に持っており、このときBがハートの10をすて札にしたときは、「チー」といって、ハートの8、9、10をおろすことができます。

「ポン」は「チー」よりも強い！

場にすてたカードに対して、「ポン」と「チー」が同時におこることがあります。このときは、「ポン」をした人が優先されます。このような場合、Bがハートの10をすて札にしたとき、Cが「チー」と言っても、Dが10を2枚（ダイヤとクラブの10）持って、「ポン」と言えば、ハートの10はDのものになります。また「ポン」と「チー」は一順してからじゃないとできないので気をつけましょう。

付け札

「付け札」をするには、自分がつくった役札がひとつでも場におりていることが、条件になります。「付け札」とは、対戦相手のおろしているカードに自分の札を付けることです。Aは、ダイヤの2、3、4という連続のカードをおろしています。自分の順番が来たときに、Bがおろしているクラブ9、10、Jに、Aは手札のクラブのQをつけることができます。この付け札は、自分のおろした役札、他のプレイヤー（B、C、D）の役札に対して、同時にすることができます。

対戦相手のおろしている役札を常にチェック

上のケースの場合でも、積み札からひいた1枚がクラブのQだったとき、すぐにそれが付け札にできるということに気づくことが大切です。もし、気がつかないで次の人の順番になってしまうと、1巡するまで待たなければなりません。同じように、積み札からひいた1枚がクラブのQで手札にハートのQがあったとすれば、クラブのQを付け札にするのか、手札にしてもう1枚Qが出るのを待って、3枚でおろす方向にするか決めなければなりません。そのためには、場にQがすでに出ていたかなどをおぼえておくことが大切です。

ほかのQを待った方がいいかな

107

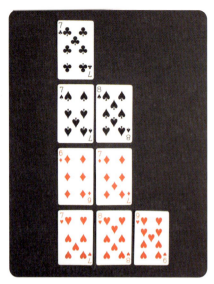

特別な「7」

セブンブリッジの名の通り、「7」のカードは特別です。通常セブンブリッジの役札は、3枚以上でなければなりません。ところが「7」のカードは、1枚だけでもおろすことができます。また、7と8、6と7という2枚でもおろすことができます。ゲームの中で3枚そろえることが大変なのに対し、「7」のカードは、まさにラッキーカード!つかいやすく、役にたつカードなのです。

クローズ

自分でつくった役札はもちろん、「ポン」や「チー」をして役札をおろすことなく、自分の順番が来たときに一度にあがることを「クローズ」といいます。あがるときには、1枚のカードはすて札とします。「クローズ」であがった場合、負けた人たちに対して手札の点数を2倍にして計算させますので、たいへん有利になります。但し、クローズの直前にだれかにあがられると、7枚の手札すべてがマイナスになるという危険性もあります。

クローズ例 1

4枚の同じマークの連続カードと3枚の同じカードが手札となり、自分の順番がきたときに、積み札から1枚カードを取り、それがどのようなカードでも最後のすて札になります。この手札になるには、クローズする前にひいたカードがポイントになります。たとえば、スペードの10をひいたことでこの手札になっているとか、2枚あったJが3枚になったことで、クローズできる状況になります。

クローズ例2

まずハートの3、4、5と7（単独）を場におろし、付け札の権利を得ます。クラブの8と9は、クラブの7を出している人の付け札にし、QもQ3枚を出している人の付け札にします。積み札からとった1枚は、そのまますて札にします。

勝敗は残った手札の点数制

セブンブリッジは開始する前に5回戦や7回戦などゲーム回数を決めておきます。1回の勝負ごとに、勝者以外の人は残った手札の点数（カードの強さ参照）を計算して、記入しておきます。終盤になれば、それまでの点数を計算して逆転の「クローズ」をねらうなどの作戦がたてられます。

	1回	2回	3回	4回	5回	合計
プレイヤーA	0	8	12	0		20
プレイヤーB	16	0	5	14		35
プレイヤーC	7	9	0	6		22
プレイヤーD	8	22	15	2		47

[セブンブリッジ]編 その1 Mr.トランプ直伝 必勝法

対戦相手の手札を読み、おろしてある役札をチェック

セブンブリッジには、絶対的な必勝法はありません。しかし、負けない（最下位にならない）ための方法はあります。それは、おろしてある役札やすてられていったカードの内容をよく見ることと対戦相手全員の状況を読むことです。

持ち合いに気をつけよう！

たとえば、二人が「8」というカードを2枚ずつ持ち合うと、お互いが、あと1枚8が出れば「ポン」しようと思うはず。また、8を1枚引く可能性もあると思っている。ところが、このままだと二人とも「ポン」もできず、8を引くこともなく、負けることになるのだ。このように対戦相手の手札を読むこともセブンブリッジには大事だ！実際には、持ち合いに気づいた方が8、9、10の連続カードに変えるなど、作戦の変更をすると、「8」を1枚すてることになり、相手に「ポン」させるというような結果になるところもセブンブリッジのおもしろいところだ。

手札を2枚以下にしないことも大事!

自分で役札を3枚おろしたあとの残りの手札は4枚、このあと付け札などをして手札2枚にしたり、1枚にするとあがりにくくなります。なぜなら、2枚や1枚だと、付け札をしなければあがれないからです。手札が3枚だとあがれる確率が高くなる、というのは手札の2枚で「ポン」や「チー」をすれば、残りの1枚をすててあがることができるからです。また、自分の番で積み札から1枚カードを取ると4枚になります、このとき3枚の役札ができれば、1枚をすててあがれるからです。

[セブンブリッジ]編 その2 Mr.トランプ直伝 必勝法

「7」のつかい方と点数制を頭の中に入れておこう

いろいろなパターンでつかえる「7」は、これがベストというものはありません。そのときどきで、うまく「7」をつかえるような作戦をたてる人が勝利に近くなります。ただし、この「7」を手札に残すとマイナス20点になるので注意が必要です。

※ルールでは「7」を1枚残すと、手札総点数を2倍のマイナスにするというものもあります。2枚残れば4倍です。

「7」の近くの数字は残しておこう!

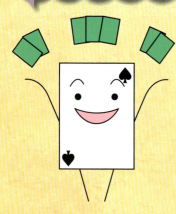

セブンブリッジに勝つ手段のひとつとして、「7」の近くのカード5、6と8、9は手札として残しておくという方法があります。「7」が場におりてきたときに、付け札としてすぐ出すことができるから。もし「7」を手札に持っていて、近くの数字が手元にない場合は、「7」をおろすと同時にほかの対戦相手に付け札されることを頭に入れておかないと大変だぞ。みんながこの方法を取っている中で、「7」を2枚セットで場におろすことができると、逆に有利になるぞ。それは、「7」が出るのを待って、5、6、8、9のカード持っていた人のつかい道がなくなるからだ。

あれ! 出せない
今から作戦変更
しないと…

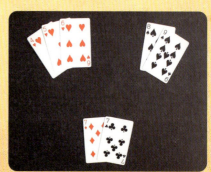

マイナス点の大きな数字からすてよう!

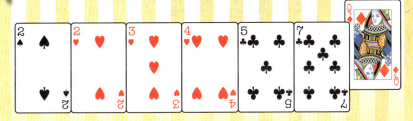

セブンブリッジは点数制のゲーム。負けても手札の枚数が少なく、小さい数字のカードなら最終のトータルで勝てます。だれかがあがり、自分の手札にAが残っていればマイナス14点、2のカードならマイナス2点、1枚で12点も違ってくる。この場合、2枚セットで持っていること(3枚にして役札にするため)が多いはずなので、24点も違います。セブンブリッジに勝つ手段として、A、K、Q、Jなどの絵札は役札になる可能性がない限り、はやめにすてることが大切です。

イラストのように、2が3枚、3、4、5を持っていて2と6を待つような形なら、「クローズ」もねらいやすいし、だれかにあがられたとしても2点×3枚=6点、3、4、5で12点、トータル18点プラス残り1枚のトータルがマイナス計算になるからです。
Aが2枚が手札に残ってしまえば、これだけでマイナス28点になります。4人でゲームをして勝負が5回戦なら、平均すれば1回は勝てるはず。ほかの4回の負けときの点数をいかに少なくするかが勝負のポイントです。

A、K、Q、Jは、はやくすてなきゃ!

セブンブリッジよりシンプルなゲーム

ラミー

ゲームのすすめ方

カードの配り方　パターン②

ジャンケンで親を決め、親はカードを裏向きにして左どなりから時計回りにカードを1枚ずつ配り、各プレイヤーの手札が7枚になるようにします。残りのカードは裏向きのまま置き、積み札とします。

◀ ゲーム・スタート ▶

1 もらう／すてる

親から時計回りで進みます。積み札から1枚カードを取り、「役」づくりにつかえそうにない不要な1枚を場にすてます。次に親の左どなりは、同じように積み札から1枚カードを取って手札に加え、同じように不要な1枚を場にすてます。

2 こうして役札ができたら、自分の順番のときに「場」におろしていきます。
※役札ができたら必ずおろす必要はなく、手札として持っていることもできます。

3 勝利

場にすてる最後の1枚を残すと同時に、手札をすべてなくした人（最初にあがった人）が勝ちです。

こんなゲームだ！

順番に積み札からカードを1枚取って手札を1枚すてながら、同じ数字3枚以上、同じマークで数字が3枚以上連番で続いている「役」をつくるなどして、手札を早くなくした人が勝ちとなります。セブンブリッジのような「ポン」「チー」「7の特別性」は基本的にはありません。

人数	使用カード	勝敗のルール
2〜6人	すべてのカード52枚＋ジョーカー1枚	点数制で負けたときに残った手札の点数を計算。Aは1点、K・Q・Jは各10点、それ以下は数字どおりです。

役札の種類

積み札から1枚カードを取って手札に加え、次のような役札を作るためにいらないカードは場にすてていきます。

同じ絵札、数字の組み合わせで3枚以上

同じマークで連続する数字の組み合わせで3枚以上

右どなりの人のカードをもらう

自分の前の順番の人（右どなり）がすてたカードがほしいときには、積み札からカードをとらずに、そのすてたカードを手札にします。この場合も手札の中から不要なカードを1枚すてます。すてたカードを取ることができるのは、右どなりの人からだけです。

付け札とラミー

セブンブリッジと同じように役札を場におろしていれば、付け札ができます。また、セブンブリッジのクローズと同じように役札をおろすことなく一度にあがれば「ラミー」といって、負けた人の持ち札の点数は2倍になります。

[ラミー]編

Mr.トランプ直伝 必勝法

「ラミー」をねらうかどうかの判断が重要！

ラミーもセブンブリッジと同じように絶対的な必勝法というのはなかなか難しいです。ラミーをねらって勝負に出るか、役札を場におろして負けたときの負担を少なくしていくかを1回のゲームごとにカンや推理を働かせて判断することです。

スピーディに上がるためには「右どなりのすてカード」を利用しよう！

ラミーのルールの大きな特徴は、右どなりのすてたカードを手札にできること。しかも、セブンブリッジと違い、役札にならないときもそのすてたカードがもらえるのです。これを利用すれば、ほしいカードを手にできるチャンスが倍になります。

自分の順番の前の人（右どなり）がハートの5をすてたら、すかさず手札にしよう。このとき、役札づくりにつかえそうもないQはすてるぞ。これでハートの6と5が手札になるのだ。

ハートの7か4がくればあがれるぞ

手札の幅を広げることも大切だぞ

P116の例でいえば、ハートの7か4が手にはいれば役札になる。それ以外にもクラブの6かダイヤの6が手にはいれば、役札になる。ハートの6と5、クラブの6の3枚があることで、4枚のカード(ハートの7、4またはクラブやダイヤの6)を待っている状態になり、役札のできる可能性をグーンとひろげてくれます。

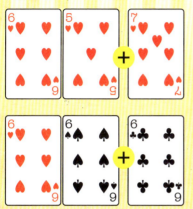
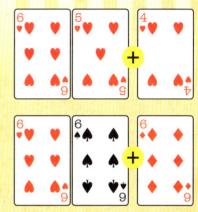

同じ絵札、数字の組み合わせ、3枚以上はそろえにくい

セブンブリッジと違い、「ポン」はないので、すてるカードやほかのプレイヤーのすてたカードはよく見ておきましょう。
同じマークで連続する数字の組み合わせは、いろいろなパターンがあるけれど、同じ数字3枚はすてカードとして2枚出てしまうと、3枚で役を作るには次の積み札になるまで待つしかないからです。
※積み札がなくなったらすてカードを全部集めシャッフルして積み札にします。

別の役を考えよう

トランプゲームの王様
ポーカー

ゲームのすすめ方

カードの配り方　パターン②

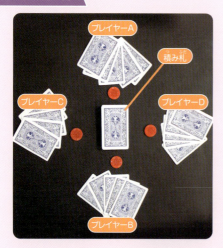

ゲーム前に参加料（アンティ）として、みんなが同じだけのチップを出します。アンティははじめる前に決めておきます。ジャンケンなどで親を決め、親になった人はカードをよくシャッフルし、各プレイヤー（ここでは4人）に1枚ずつ計5枚のカードを裏向きにして配ります。残りのカードは積み札となります。

◀ ゲーム・スタート ▶

5枚のカードの組み合わせの強さ（役のことでポーカー・ハンドと呼ばれ10種類あります）で勝負を決めます。テクニックやカンを働かせる以外にも、心理的な戦いがあり、大人の気持ちになれるゲームです。

人数	使用カード	勝敗のルール	♥
2～6人	すべてのカード52枚 ＋ジョーカー1枚	A→K→Q→Jの順序、10以下は数字の通り。マークの強さもあり、スペード→ハート→ダイヤ→クラブの順です。	

ゲームをスタートする前に覚えておきましょう！

ポーカーには独特の用語があるので覚えておきましょう。また、10種類のポーカー・ハンドはP124、125で紹介しています

アンティ
参加料としてのチップのこと。全員が出します。

ベット
チップを出してかけること。

オープン
1回目のベットで、チップを出してかけること。（Jのワンペア以上を持っていることが条件です）

コール
前の人と同数のチップを出してベットし、ゲームを続けるときに使います。

ショーダウン
各プレイヤーが手札・ポーカー・ハンドを公開すること。

ドロー
場にすてた手札の枚数と同数のカードを親に配ってもらうこと。

ドロップ
手札が悪く、ゲームを棄権すること。（アンティやベットしたチップはもどりません）

ポーカー・ハンド
5枚の手札でできた役のこと。得点のポイントになります。

ポット
チップを出す「場」のこと。

ホール・カード
最初に配られる裏向きのカードのこと。

レイズ
前の人のベットより多いチップを出して、かけをつり上げること。

ワイルド・カード
どのカードとしても使えるカードのこと。普通はジョーカーですが、2をつかうこともあります。

①

親（プレイヤーA）の左どなりの人から順番にベットできます。最初のベットを「オープン」と呼びますが、Jのワンペアより強いポーカー・ハンドがないとできません。ポーカー・ハンドができていないときや弱いときは、「パス」できます。

自分より前のだれかがひとりでもベットしたら、パスはできません。写真ではD、Aはパスができません。また、全員がパスになったら、つまり「オープン」する人がいなかったときは、もう一度アンティを追加して、カードを配りなおします。

② 次の人からは「コール」（前の人と同じ数だけベットする）か「レイズ」（かけを引き上げる）を宣言（レイズできるのは1回のみ）します。勝負を下りる場合は「ドロップ」を宣言します。写真では、プレイヤーDはドロップします。プレイヤーAがレイズでチップを3枚出します。

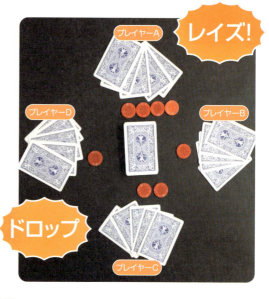

③

1周する間に「レイズ」する人がいなくなれば、1回目のベットは終了です。AのレイズにBが「コール」し、3枚のチップを出します。プレイヤーCは不足分の2枚を出して、コールにした。レイズする人はなく、ドロップしなかった3人のチップの数が4枚となり、次に進みます。

④ 親の左どなりの人から「ドロー」（いらないカードをすて、同じ枚数のカードを親が積み札から渡すこと）します。最後に親もドローをします。なお、ドローはしなくてもかまいません。

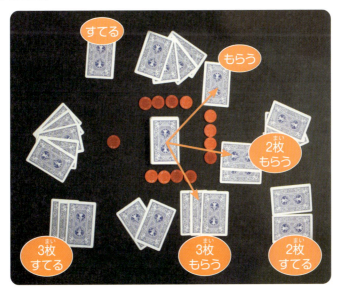

5 ドローが終わったら、2回目のベットに入ります。親（プレイヤーA）の左どなりの人から、コール、レイズ、ドロップをくり返します。2回目のベットをパスするときは「チェック」と宣言しますが、だれかがベットした場合、チェックはできません。コールか、レイズで勝負するか、ドロップするしかありません。

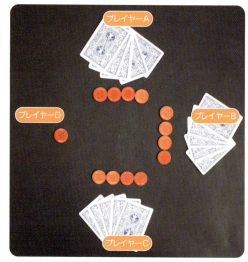

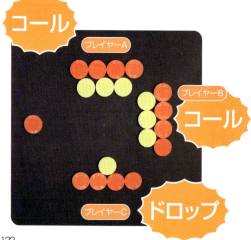

プレイヤーBがいきなりチェック、プレイヤーCが1枚でベット、プレイヤーAはコール、またプレイヤーBの番となり3枚でレイズ、プレイヤーCはここでドロップ、プレイヤーAは不足分の2枚を出して、コール。プレイヤーAもBもレイズせずにここで勝負となります。

チップの動きだけ
B… チェック　レイズ3枚
C… ベット1枚　ドロップ
A… コール1枚　コール2枚

6 勝負！

ここでショーダウン（各プレイヤーが手札・ポーカー・ハンドを公開すること）になります。一番強いポーカー・ハンドの人が場のチップをすべてもらうことができます。ここでは、プレイヤーAとBのショーダウンになり、KとAのツーペアのプレイヤーAに対し、3のスリーカードのBが勝ちとなり、チップをすべてもらえます。

 ツーペア

 スリーカード

 勝利

※ショーダウン前にひとりを残してほかの全員がドロップしたら、その最後に残った人の勝ちとなります。
※1回目の勝者が次の親になります。（写真の場合、プレイヤーBが次の親になります）

ポーカー・ハンド

ワンペアが一番弱い役で下に行くほど強い役になります。フルハウスは6番目でその下に行くほど強い役になります。

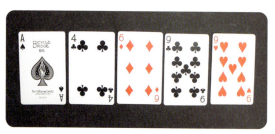

ワンペア
同じ数字のカードが1組ある。

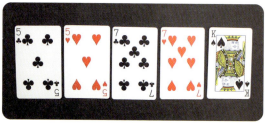

ツーペア
同じ数字のカードが2組ある。

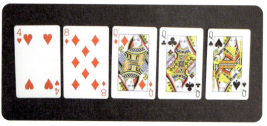

スリーカード
同じ数字のカードが3枚そろう。

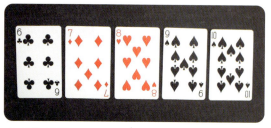

ストレート
マークに関係なく数字が5枚連続する。

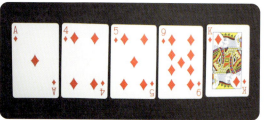

フラッシュ
同じマークのカードが5枚そろう。

フルハウス

スリーカードとワンペアが同時にできる。

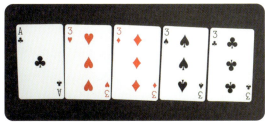

フォーカード

同じ数字のカードが4枚そろう。

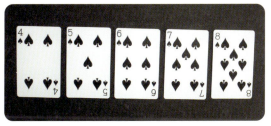

ストレートフラッシュ

同じマークで数字が5枚連続する。

ロイヤルストレートフラッシュ

同じマークで10、J、Q、K、Aでそろう。

ファイブカード

ジョーカーを加えて同じ数字が5枚そろう。

[ポーカー]編

Mr.トランプ直伝 必勝法

ベットのかけひきと確率を知っておこう

ポーカーは、ベットしながらのかけひきがおもしろいゲームです。対戦している相手の役を予測しながら、自分の役と比べ、同時にベットしていくチップの枚数でその役の予測を高めます。またドローしたときのいろいろな確率も参考にしましょう。

ポーカーフェイスで相手をドロップさせる

ポーカーは表情が大切。いい手札がある場合や高いポーカー・ハンドができたときに「うれしそうな顔」をしてしまえば、相手にバレてしまいます。逆に、手札が悪いときもわかってしまうということです。ポーカーフェイスという言葉があるように、どんなときにも表情を読みとらせない努力も大切です。ポーカーフェイスでレイズやベットを続ければ、相手はどんなポーカー・ハンドになっているのかわからず、恐れてドロップすることもあります。

数字のワンペアでも、強気でベットしていけば、みんなが恐がってどんどんドロップしていくぞ!

ドローしたときに出る確率は決まっている

ポーカーは、最初に配られた手札も大切ですが、最後はドローしたあとのポーカー・ハンドで決まることは、いうまでもありません。ワンペアを残して、3枚ドローしたとき、フルハウスになる確率は約1％、フォーカードとなると、わずか約0.3％です。逆に言えば、フルハウスなどができれば勝てる可能性が高まります。次の表を参考にしながら、確率の高い手で勝負しましょう。

カードをドローして役になる確率

ワンペアを残して3枚ドロー	ツーペアになる確率……………… 約16％ スリーカードになる確率……………… 約11％ フルハウスになる確率……………… 約1％ フォーカードになる確率……………… 約0.3％	合計 28.3％
ツーペアを残して1枚ドロー	フルハウスになる確率……………… 約9％	
8・9・10を残して2枚ドロー	ワンペアになる確率……………… 約37％ ツーペアになる確率……………… 約2％ スリーカードになる確率……………… 約1％ 3通りのストレートになる確率……… 約1％	合計 41％
フラッシュをねらって1枚ドロー	フラッシュになる確率……………… 約20％	

ワンペアを残して、フルハウスになったときが勝負！

動画のまとめページはこちらです

https://youtube.com/playlist?list=PLLsYQGOShbcgDNXYiYIO3_jCR9zED5Jwy&si=PEBVJjrtg7orgmek

[編　　　集]　浅井 精一・盛田 真佐江・藤田 貢也・
　　　　　　　　中村 萌美・魚住 有・石見 和絵・小鷲 和幸

[デ ザ イ ン]　玉川 智子・里見 遥・斎藤 武紀・笹村 明博

[イ ラ ス ト]　松井 美樹

[制　　　作]　株式会社カルチャーランド

動画付 楽しいトランプ 改訂版
ルールと勝ち方が1冊でわかる

2024年　1月20日　　　第1版・第1刷発行

著　者　C.L.トランプマイスター（シー・エル・トランプマイスター）
発行者　株式会社メイツユニバーサルコンテンツ
　　　　代表者　大羽 孝志
　　　　〒102-0093 東京都千代田区平河町一丁目 1-8
印　刷　株式会社厚徳社

◎「メイツ出版」は当社の商標です。

●本書の一部、あるいは全部を無断でコピーすることは、法律で認められた場合を除き、
　著作権の侵害となりますので禁止します。
●定価はカバーに表示してあります。
© カルチャーランド ,2018,2024. ISBN978-4-7804-2813-1　C8076　Printed in Japan.

ご意見・ご感想はホームページから承っております。
ウェブサイト　https://www.mates-publishing.co.jp/

企画担当：折居かおる

※本書は2018年6月発行の『もっと知りたい!楽しいトランプルール+勝ち方がわかる』を
確認のうえ加筆・修正したほか、オンライン視聴できる動画コンテンツを追加し、書名・装丁
を変更して発行しています。